U0115328

大筆如椽，文江詩海

——蘇文寬詩詞作品集

蔡序

文寬的書法作品內容，包括字體在內，悉由自己所創作，所以墨寶文末皆署「詩作者蘇文寬書」。坊間因為選舉過程激烈而相互揭發出來，諸多候選人的論文有抄襲情事，文寬的作品絕對不會有此瑕疵，因為他的詩、書風格均亙古所無。

初識文寬，被他詩文的外表卻潛藏深厚的太極拳功力所折服，有很多警界、調查局幹員都曾是他的門生。擁有一樣超群的技能，已屬不易，文寬興趣廣泛，為了將自己創作的詩作寫下，努力研習書法，不拘一格，自創筆法，令人驚嘆。

文寬心思細膩，容易觸景生情，常常文思泉湧，信手拈來，就能完成一部作品。囿於文寬的盛情邀約，乃不揣淺陋，為文推薦。

法務部政務次長
蔡碧仲

林序

聽聞大山電線電纜公司蘇文寬副董事長，即將出版集結了他多年來詩詞、書法創作精選套書的好消息，內心感到非常高興。

蘇董是一位事業經營有成的企業家，更是浪漫的詩人兼書法家。他的詩詞創作起源很早，靈感一來，透過即興創作來表達內心世界：藉自然景物的描寫抒發情感；闡述長期修練太極拳的養身要法；或是將個人商場決策機鋒、公司經營心法鎔鑄於字裡行間，在在都能看出他對生活的獨特體驗與優美的文字造詣。拜今日網路科技發達所賜，每得巧思佳作，蘇董立即透過通訊群組讓大家先睹為快，更頻頻與詩詞同道相互賦詩唱和，以文會友，樂此不疲。

「詩而優則書」，蘇董以個人豐富的人生閱歷與國際視野，從太極拳中獨得一悟，讓他在百忙中能創作出為數頗多書情畫意的作品。作品剛柔並濟、揮灑自如，展現出自由豪放，膽大心細的性格。二〇二〇年六月，蘇董應個人邀請，到南華大學舉辦了「寬心—書情話意書法展」，共展出三十餘幅作品，內容與書寫形式皆自成一格，散發出具有特色的個人風格與魅力，展出期間也獲得全校師生與欣賞者一致好評。

近年來，臺灣科技、經濟飛快成長進步，成功的企業家不在少數，但以傑出企業家同時又身兼詩人、書法家多重角色，除蘇董外，實不作第二人想。個人有幸在高教界服務多年，持續推動校園生命教育，一直認為大學之道不應汲汲於學業，更當陶鑄學生成為科技與人文並重的現代社會公民。詩詞、書法創作與欣賞，不僅千百年來文人雅士鍾愛此道，今日更可大加推廣，以收安定人心、助於修身養性之弘效。

精選集即將纂成付梓，從本書所收錄一篇篇、一幅幅詩情畫意的作品中，知音人必可感受到蘇董個人熱愛藝術、樂活人生的滿滿正能量！本人謹以多年老友的身分，衷心期待、充滿熱誠的在出版前夕特為之序，以饗讀者。

南華大學校長
林聰明

侯序

遙想十多年前在菊野村料理宴請雲林地區教育界與產業界的領導人，一時群賢畢至，少長咸集。觥籌交錯間與大山電線電纜企業蘇文寬總經理，一見如故。其本人乃為台灣及至國際知名電線電纜產業之執牛耳的企業家，本身卻少了台灣傳統產業的主持者那種市井草根之氣，反卻顯露出一股溫文彬彬的儒商風采。在飲宴席間，眾人歡笑言談中，文寬兄不時詩出胸臆、出口成章、妙語如珠，儼然成了酒席間鋒頭健兒，大家仰之彌高的主角。因而留下了特別的印象，思忖宴後能有機會和其請益。

思之所念，念成所想，不知是否早已命定有緣，文寬兄與吾彷彿心有靈犀。酣暢間兄邀集大家餐後一同至其斗六宅邸進行二次會。素雅的樓中樓大廳，入門即見文寬兄自書作品條幅，筆走龍蛇，神采飛揚。閒章鈐印「大坤福」，問其所以，得知兄乃以尊翁蘇坤福創辦人之名號，以「大」為恭崇敬仰之意，作文寫書，常念父親之創業維艱，以為自勉。《禮記》言「孝」有三個層次，最上為：「大尊尊親」。文寬兄以「大」作印以尊懷父親，用典深厚，學富五車。家中另置禮佛拜堂，清淨禪心，則為奉養誠心向佛的萱堂而設。心中不免稱歎文寬兄能循《禮記》：「孝子之養也，樂其心，不違其志。」之古風，真是位滌親孝子，更是個謙謙君子。

在文寬兄的邀請下，於宅邸中品茶歡唱，也與其訂交，約為益友。一次北上洽公，和文寬兄同乘高鐵，一個半小時的旅程與兄天南地北，促膝長談。其間文寬兄吟詠賦詩，分享其事業倥傯之際，仍能作詩寫詞並以書墨筆錄。其間又參揉了自己長年練習太極拳法的體會，從腦內思緒、心中詩意透過鐵畫銀鉤、氣韻流暢的線條和拳法奧旨，行雲流水地展現在宣紙上。內心不免感到驚艷與澎湃，發現眼前乃千年一遇之蘇白合體轉世奇才。返回雲科大後隨即指示藝術中心邀請文寬兄蒞校舉辦「寬心蘇情畫意書法展」，並請楊能舒副校長主持開幕。展出非常成功，成為當年雲林藝文界之盛事，又期約後續再辦創作展，為我們理工科技的學子，增添豐厚的人文氣息。

爾後，文寬兄持續創作不斷，常透過網路為鴻雁，見景抒詩。一次本人赴英國劍橋與牛津訪問，收到寬兄來訊，賦詩：「侯伯子男公，春來夏秋冬；看人生四季，君心一若玉。」提醒吾注意加減衣著，運巧思鑲吾名於詩句中。旅外漂泊而收摯友之慰勉，有如在入秋的英吉利，拂上了一道爽暢的清風。

文寬兄十數年來持續的創作，唐臨晉帖、柳骨顏筋，其真積力久則入，自成一格。今彙集書法精選作品成帙，積土成山，積水成淵，名為「山峙淵渟，寬仁大度——蘇文寬書法作品集」，乃書家退筆冢中盡力之佳作，於此得先睹為快，謹向方家雅士鄭重推薦。

國立雲林科技大學前校長
侯春看

鄭序

本身自一九九三年從美國完成學業之後，回來台灣到雲科大教書。驅車從斗南交流道往雲科大的路上，往往可以瞥見「大山電線電纜」大大的公司招牌。一九九四年一家人定居在斗六市久安里，住家到大山電線電纜公司相距僅只三公里的距離，但是有緣千里來相見，無緣對面相不逢，這麼多年以來卻從來沒有機會與文寬認識。

直到二〇二〇年九月文寬就讀雲科大產業經營博士班，二〇二一年二月選修我的課程：「管理創新實務專案製作」，才首次有了教學相長的接觸。還記得第一天上課的時候，文寬跟我說到，小時候跟著父親在公司裡協助工廠的經營管理，長大之後到英國進修碩士學位，為了行銷公司的產品，跑遍世界各國。他指出二〇一九到杜拜拜訪好友Emadhasouni，身處杜拜可比曼哈頓的金融中心，好友跟他說眼前看見的十幾棟大樓，網路用線都採用大山電線電纜，令他心想自家公司產品能遠揚國際，著實引以為豪。

二〇二一年四月文寬應東華大學邀請，舉辦書法展：「2021東華春藝季：寬心書情畫意4」。我才真正認識文寬在擁有豐富的企業經營管理閱歷與國際視野之外的文藝情懷與書法造詣。隨著與文寬的相處，也認識到其長年練習太極拳，頗有心得，且能納拳意餘筆意，加上自己雅好的古典詩詞創作，融詩、書、太極三位為一體。也因如此，文寬在百忙之中創作出一幅幅詩情畫意的作品，總是令人欽賞不已。文寬的書藝，抱樸守真、寄情墨趣，並且結合詩詞，含納生活經歷之體會，吟詠流觴、述情寫景，自成一格，散發出具有特色的個人風格與魅力。

身為文寬的論文指導教授，博文鼓勵文寬應該將這些書法以及創作的詩詞好好整理，跟大眾分享，因此特別拜託雲科大漢學所的翁敏修所長以及王世豪老師協助整理。感謝翁所長以及王老師一年多來的努力收集資料及用心整理，彙集詩詞「大筆如椽，文江詩海——蘇文寬詩詞作品集」與書法「山峙淵渟，寬仁大度——蘇文寬書法作品集」作品成帙。

看到文寬的文藝才華作品即將世人見面，內心實在感到無比高興且與有榮焉。也希望文寬的好友，能夠持續給予文寬在才藝展現上，更多的支持與指導！

國立雲林科技大學工業工程與管理系教授
二〇二二年十一月六日
鄭博文

宋序

蘇文寬先生是我朋友中少數以藝術文化為生活重心的人；蘇先生多年來致力於書法之研究、練習及推廣，其書道之體，自成一格，雄渾厚重又不失蒼勁與飄逸，頗能反映其敦厚拙樸與幽默風趣相互融合之本性；我想或許與他每日練習太極拳亦有呼應之功。蘇先生早年縱橫商場與父兄同為大山電線電纜股份有限公司奠下了宏偉之基業，近年來潛心於書法與太極，遠離紅塵萬丈，卻常執赤子之心關懷國家社會，頗有士大夫憂國憂民之風。

大多數的人（包括我自己）常須為五斗米折腰，一生奔波勞碌，甚至為生計而兵馬倥傯；但蘇先生福德厚澤，又因緣俱足，乃得以振衣千仞崗，濯足萬里流。眾人或不解其為天地之心，為生民之命之志，輒視彼為異物癲狂，不切實際。然我不以為意，心中竊想，我們的社會是否太過務實，以至於容不了所謂之「異人」？

今聞蘇先生欲出一書法專輯，故為之序，以作為推薦。

於中正大學戰略暨國際事務研究所

二〇二二年十月三日

宋學文

吳序

我是雲林子弟，高中畢業，離開家鄉，臺中就學，臺北就業定居，雲林少有停留，成為淡淡思鄉牽絆之地。

人生因緣際遇自有定數，二〇一二年尋找「究好豬」分切廠用地，兆豐銀行梁奕彬經理推薦雲林，購地過程奇蹟般順利，落腳大埤豐田工業區，外地漂泊半生，居然紮根於故鄉，心中既欣喜又感恩，期望帶來新元素，共好鄉里。良作工場，二〇一五年十二月與雲林高鐵站同月開幕營運。

少小離家老大回，陌生的故鄉，必須融入在地人與事，得力於自由時報前特派員陳榮俊先生引見，受邀蘇文寬先生宴席，初次見面，主人為大山電線電纜（股）公司副董事長，留英碩士，卓越企業家。當天來賓約莫十人，俱是碩彥名流，文寬先生任俠遺風，慷慨好客，整治珍饈佳釀，以饗佳賓，席間杯觥交錯，談古論今，言之有物，不愧濟濟多士。酒酣耳熱，高歌清唱，樂器演奏，各擅勝場，正是風雅人物。

人以群分，物以類聚，初識文寬先生，印象深刻，望似知天命之年，精神奕奕，顧盼之間，風流倜儻，豪邁大度，方知乃是太極之勤練愛好者，而有親近之想。之後，多有過從，二〇一七年一月受邀參加先生書法首展，真正認識他的特立獨行，堅毅人生。

事隔有年，首展情景，歷歷在目，文寬先生先來一套太極，似拳似舞，靈動飄逸，演者氣清神凝，拳風徐徐，養性健身。觀者眼首隨拳，上下擺動，左右游移，賞心悅目，博得滿場喝采。太極既畢，先生嶽峙淵停，氣息悠長，馬步微蹲，當眾揮毫如飛龍，以己之筆書寫自家詩詞，拳、文、筆三藝一體，渾然天成，古今一絕。

文寬先生年輕時期，術業專攻，學貫中西，及長，以創新求變的熱情，多元活潑的態度，經營家族企業，縱橫海內外，大放異彩，聲名鵲起，交遊廣闊，端莊不失幽默，深受各方朋友愛戴。商而優則浸潤於藝術文學殿堂，自得其樂，雖非科班出身，但是天資聰慧，才思敏捷，兼以行走世界，視野寬闊，商場歷練厚實，洞察深遠，善為借喻，投入詩詞創作，不數年已有幾千多首，隨著歲月累積，修養豁達，意境更見精鍊純粹。

其創作，不拘一格，見景、睹物、觀人、思事，心有所感，靈光電閃，詩興瞬間爆發，詩意行雲流水，佳作應運而成，平易近人，妙趣橫溢，令人心領神會，愛不釋手。先生更有奇想，為求詩詞雋永呈現，而思自己之筆書寫詩作以資典藏，下大功夫於書法習練，臨摹古帖之際，他特立獨行的基因吶喊著「與其複製，何不開創」，因而改絃更張，忠於自己資質秉性，勤寫金剛經，循序精進，「文寬書法」蔚然成體，或瀟洒輕柔，或磅礴正氣，但見自然樸實，筆鋒優雅，乃成宗師。

縱觀先生成就，突破拘束，動靜自若，不論企業家、太極家、詩詞家、書法家，皆是恰如其份，獨領風華，極簡內斂又鮮明亮麗如囊中之錐，光芒綻放。

欣逢先生創作結集問世，我們一起來欣賞他的詩詞書法，體會他博大精深的正能量，瞭解他推動書法藝術潛移默化人性的用心。

祥圃實業股份有限公司董事長
究好豬共同創辦人
國立中興大學傑出校友
吳昆民

自序

個人詩詞書法作品精選套書即將出版，內心感到十分高興，借此文小小的篇幅，與讀者們分享自己的心情點滴。

我從小就喜愛古典詩詞，從二〇〇九年開始進入詩詞創作的世界，緣於一次搭乘高鐵南北往返途中，用手中iPhone隨興寫了一首如何做好工作及減肥計畫的長詩傳給我太太，竟然得到很大的讚賞。此後筆耕墨耘，逸興遄飛，或與企業管理結合，以風雅、夙慧的方式帶領經營團隊；或藉著描寫自然景物抒發情感；或闡述修練太極拳養身要法。每有新作，旋以簡訊、email方式傳閱眾親友，獲得大家一致好評。

學習書法原是從臨摹書聖王羲之開始，但後來發現單單「之」字就有三種不同寫法，領悟到不應只想著學王右軍，應該要創立具有個人風格的詩詞書法。遂潛心研益，以自己的詩詞為本，書法為體，成就「詩書一體」最原汁原味的作品，傳達內心真實風景。

詩詞與書法結合後感覺很不一樣，就像冥冥之中有上帝最美好的安排，一切創作都源自初心，每天創作都會產生新的樂趣。十餘年來，詩詞作品累積數量已達上千首，也在台北市長官邸、雲科大、南華大學、東華大學舉辦了多次書法展，眼前正是回顧與整理個人豐富創作的最好時機。

作品集能順利出版，首先感謝父母親自幼良好的言教與身教，撫我畜我、長我育我，個人得以與生命中諸多貴人廣結善緣。感謝愛妻喜玲及孩子們對我創作的全力支持，更要特別感謝我的恩師鄭博文教授，在他的鼓勵、指導下，將詩詞書法作品整理印行的願望終於付諸實現。雲科大漢學所翁敏修教授、王世豪教授一年來產學合作案的執行與文獻整理所付出的心力，蔡碧仲次長、林聰明校長、侯春看校長、宋學文教授及吳昆民董事長在百忙中仍撥冗為我譔寫序文，為全書倍添光彩，在此一併致謝。

「伯牙鼓琴，鍾子期聽之。方鼓琴，志在山，鍾子期曰：善哉！鼓琴！巍巍乎如太山。志在流水，鍾子期曰：善哉！鼓琴！洋洋乎若江河。」這套作品的圓滿集結，象徵著階段心願的完成，更是鞭策我未來創作不輟的動力。期盼一篇篇、一幅幅作品中展現的書情話意，能得到讀者知音您們的賞析、聆聽！

蘇文寬　謹序

目錄

無題

拜慈光吾真情，思念您心永恆，呱呱地襁褓景，彷彿是當前行，
喟匙粥您歡喜，啜口奶您欣怡，子女教全家養，皆賴您堅忍強，
雄偉志霸一方，事業成永續長，為致遠而行穩，經營則比氣長，
無私於昆仲間，格局大又凜然，雨露均兄弟霑，德澤廣大眾瞻，
慈光寺安息住，您典範永長駐，駐在兒內心處，何其寬何其廣，
何其大何其壯，何其久何其遠，是生生是世世，是永生至永遠！

二〇〇九年九月二十六日

詩喻 本詩闡述懷念父親之情，深刻地表達對父親的尊敬與感激養育之恩。

賞析 有一種幸福叫做父母的愛，有一種承擔是為人父母的堅強，有一種成功是當孩子呱呱墜地、襁褓看顧、張口餵食、父母親忍耐現實的各種考驗，在孩子成長的同時，一樣成就事業的輝煌！作者筆下的父母，不但兼顧教養與事業，在兄弟手足間無私、公平的給予與關愛，更顯示氣度的不凡！即使已往安息，但是典範仍舊受到晚輩景仰，點滴回憶也常駐兒女心中。《勸孝歌》有云：「十月胎恩重，三生報答輕。」我們一生因為父母，懂得感恩回報，珍惜付出，至大至深、至寬至廣，是刻印兒女心中，永誌不忘的感情。

大山

絕妙好詩境在大山青空，彷若由來醒悟暮鼓晨鐘，
伸展放寬開濶廣大心胸，大山祈福客戶春來安冬！

二〇一〇年二月一日

詩喻

「大山青空」喻大山有著一片青天白日光明正大的天空。「由來醒悟」喻長久以來年紀成長，心靈進入詩的純美境界，更體悟企業體制重要。「春來安冬」喻有個平安的冬天隨而春意盎然歡欣而來。有感光陰似箭，呼嘯而飛，本詩題名〈大山〉，將此詩同仁及客戶分享，表達祈願長久合作之真摯情感。

賞析

看著眼前一片大山青空景色，心中詩音詞韻源源不絕、油然而生，這晴光景明的景緻，就像人生與公司的前程，期待能有朗朗昭明的前景。

作者反覆思考吟詠，組織治理的訣竅是在有晨鐘暮鼓的紀律，只要保持沉穩、共好、利他時代使命，即使時代動盪、政經局勢瞬息萬變，仍要有杜工部「安得廣廈千萬間，大庇天下寒士俱歡顏，風雨不動安如山」的氣魄。當鐘鼓聲響起，也期待每個人都更伸展心中寬容、豁達、大氣、潤闊的心胸，清朗著詩歌的情韻妙詞，期勉自己、鼓勵在路上的同伴，能夠一本初心，為客戶為社會服務，就能超脫外在紛擾，迎向春天。

默契

默契足緣分存，巧合準淵源純，春酒濃豪氣最，
再相逢幾時醉，六字言依然道，默契足倆相照！

二〇一〇年二月十二日

詩喻

本詩寫給同樣熱愛詩詞創作的朋友，珍惜彼此緣分與珍貴的默契。

賞析

所謂「默契」，是一種心照不宣、心有靈犀一點通的通達，但並不是每個頻繁往來的人，都能與之產生默契，有時默契出自於彼此間靠著時間的累積，慢慢熟悉後，就能產生相當程度、雷同的反應，這種對於彼此細微的感受有所共感，不需要言談就能彼此了解。有時，默契是出自一時的巧合，這也特別令人欣喜，拍案大笑的爽快！作者創作此詩與友人清榮分享，指出有默契的你我，把酒言歡是最人生樂事，即使我倆不在同一個時空中，但珍惜著這實屬難得的默契，肝膽相照的情誼。

詩詞

五言簡潔境意賅，六言兩三可對仗，
七言詞藻多轉折，各有千秋各皆優，
五六七言隨心做，內涵世界分別秀，
行文賦詩閒暇趣，予玲真情乃真義！

二〇一〇年四月二十二日

詩喻

詩詞創作六言可以用二二二或三三，七言可以二二三、三四或四三，形式自由，也藉本詩表達對詩詞創作的熱愛。

賞析

各種體例的詩歌，都有其精妙、值得玩味之處，像是五言詩，言簡意賅，朗誦容易；六言詩可拆解為三組兩字、兩組三字，頗有元曲味道，也可對仗玩字；七言詩行文可製造轉折奇趣，詞藻華美，促發詩興。各類體例自古而今多有佳作，各有千秋。

創作各憑作者當下心情，與之所至、心之所安、盡情在我、揮灑馳騁，使人快意盎然。詩作本為個人情志暢發，不論五六七言，哪一種題例，以詩歌抒情、表意，雖是隨心所欲，唾手創作，每一言、每一語，盡是真情真義的真我！

再撫斑斑白髮

母親兄弟姊妹，歡喜攜眷聚會，浩蕩一行遊街，猶如長龍行飛，
老年中年少年，全皆高興在臉，呱呱落地子女，轉眼子孫成群，
微撫斑斑白髮，願天滯留年華，摯愛全家八口，可再相偎如昨，
漫長人生所有，盡在吾夫孩兒，歲月飛去如矢，甘心含辛茹苦，
再撫斑斑白髮，心田孤寂疲乏，有否子女知曉，吾愛吾家八口，
獨缺老伴攜手，對天再度傾訴，漫長人生所有，盡在吾夫孩兒，
漫長人生所愛，盡愛吾家八口！

二〇一〇年八月九日

詩喻 本詩表達了對母親真摯的感謝與愛，同時流露出時光飛逝的感慨。

賞析 全詩以六言詩體流暢敘寫對母親為全家八口奉獻付出的崇敬與摯愛，孺慕之思，流洩滿溢。開頭以全家聚會歡樂氣氛出發，回憶起過往母親的辛勞，從孩子呱呱墜地到兒孫成群，時光的染劑，將母親的烏髮染成斑斑銀絲，同時也為母親悲嘆不捨，但這樣的苦楚，向天傾訴會被聽到嗎？大部分母親的泰半人生，奉獻給丈夫、孩子，全家八口皆是她所愛、所有！斑斑的白髮就是付出的印記。「親愛的母親，我們知道的！」有家、有愛都要感謝母親奉獻漫長的人生，您辛苦與勞累，造就了全家的幸福。最後作者復刻兩句「漫長人生所有」、「漫長人生所愛」就像時時低吟、時刻惦記，要自己毋忘母恩。

秋波

濱海一別也秋波，美酒一瓶還未啜，
早冬一有機期約，定當一飲竟九宙。
咖啡兩杯有異香，或給兩心共夢想，
咱等兩情也相悅，醉在兩怡咖啡鄉。

二〇一〇年十月十二日

詩喻 這首詩作是濱海之遊後，赴圓山晚餐並欣賞夜景之回憶！

賞析 每一次的聚會都是緣分聚合，尤其與「對的人」出遊，更是促發玩興，甚至意猶未盡。與好友、家人遊歷過後，口中總是一定說「下次再約」、「下次再一起去」。這般如少年歡愉悠遊、無樂不作、美酒共飲，開心的旅程，令人回味再三、沉吟良久。不知道是不是咖啡因的作用，刺激了交感神經，飯後啜飲咖啡，增加胃液分泌，配合著眼前的夜景，讓聚會、遊覽時的點滴，化成香濃醇厚的記憶，即使入喉進胃，口中仍有久久無法退去的餘香陳韻。

漣漪

湖心如鏡微盪漾，夕陽雙日兩景況，
一景美霞近黃昏，另有夕日小汐紋。
靜湖若定心止觀，恰似彩蝶賞雲端，
投石不意漣漪起，怎奈世事擾心關。

二〇一〇年十月二十八日

詩喻

本詩題名〈漣漪〉，藉景抒情，藉由湖面漣漪的安定與蕩漾表達複雜心境。

賞析

詩人常年修練太極拳，見景生情，福至心靈，突然靈感乍現，作詩〈漣漪〉與友人唱和。全詩以湖寄情，湖面映照著夕陽，形成上下雙日的景緻，一抹霞色，更透露著近晚到來，「兩日」、「一景」構成黃昏美景。湖面平靜時，彩蝶不受驚擾就可以欣賞著雲端美麗的夕陽，但不經意的投石入湖，湖面生成漣漪，便打擾了心中的澄清。詩人再以湖比喻人生，感嘆世間凡事原是如此，哪有永遠平靜無波、長久的平順無礙呢？入世應順應，即使心關被擾，乃是凡俗常態。詩人以此詩與友人應和，託佛理禪心於詩，又見人間性情，是佛在俗塵中，俗塵中有佛。

風雲

陽照幽徑翠也悠，微風循路徐又咻，
望得鳥飛叫且啾，美麗境界應是秋。
鵬卻展翅呼囂過，幾片楓丹白露落，
忽問又若駕霧飛，彷彿人生風雲追。

二〇一〇年十月三十一日

詩喻

本詩描述早晨村子裡的幽美景象，與家人、愛人分享此詩，一同感受秋天景色。

賞析

程明道詩云：「萬物靜觀皆可自得，四時佳興與人同」，只要靜心觀察世間萬事萬物，皆能怡然自得。

時序到秋，早晨例行打拳健身養性，偶見村中古老幽徑秋景，陽光照射在翠綠小徑之上，身上微風吹拂，頭頂群鳥倏地飛過，大鵬展翅隨飛暢遊呼嘯，刮落赤紅楓葉，灑落林間清露。作者嘆，君不見，人生像雲間大鵬一般，風雲縴綣，駕霧追風，在景色中參透自然道法，我們在有形無形的天地穹蒼之下，無盡的追逐風雲變色，不如掌握眼前景緻，行文賦詩展露風雅。

東流

秋落冬隨寒風追，冬去春來幾時恢，
春逝夏至又幾秋，江水自古總東流！

二〇一〇年十二月十九日

詩喻

嘆光陰飛逝如江水東流！人生尚有幾多秋！本詩以春夏秋冬四季轉變，描述季節更替時的心境轉折，亦感嘆時間飛快地流逝。

賞析

人生就像東流的滔滔江水，隨著生命長河的流轉，如同春夏秋冬四季更迭，周而復始，日夜奔騰一去不復返。

明代洪自誠《菜根譚》有云：「寵辱不驚，看庭前花開花落；去留無意，望天空雲卷雲舒。」與其感慨如水的流年、遺憾昔日的擦肩，恬淡自適，才能稍加舒緩四季更迭無奈。若為人做事能視寵辱、榮華、衰退如花開花落、如四季更替般平常、如雲卷雲舒般變幻般無意，得不喜、失不憂、寵辱不驚、去留無意，心境平和、淡泊亦自在，中庸而不爭。

北海

北海飄來雪皚皚，腦海定來無嘆嘆，
心海思來境白白，人海茫來也該該！

二〇一〇年十二月二十六日

詩喻

「境白白」喻心境放空歸零後再出發；「人海茫來」喻主見多。本詩作於歲末，分享公司同仁，表現出對同仁的關心與提點。

賞析

該詩創作於民國一百年前夕，新的紀元將至，新年就在眼前，新的一年、新的開始！看到眼前景色，雖是冬天時令，但詩人深有所感，眼前風光與身邊的人事紛擾，雖然有如大雪漫白的孤絕吟嘆，但心境應有天氣清新、冷冽颯爽的澄明境界，特別為此詩作，勉勵同仁過去任何的闕漏，不妨試著化作千風萬縷，莫有戀棧悔恨。歲末年終是迎接新春之際，應靜心檢討，歸零後再計畫實行，應體認「當下即是」，集思廣益，以竟其功。

二片

北海冰雪滿地填，潔白聰明在冰點，
冬陽大地未粉裝，二片冰心兩重光。

二〇一〇年十二月二十九日

詩喻

冬陽和大地皆在未化裝之前，就真心擁抱兩重純潔之光！透過大自然的純粹抒發情感，藉由白雪與冬日暖陽比喻未修飾的純潔。

賞析

此詩撰寫冬日雪後暖陽的大地景緻，冷冽清新的空氣、樸素大地、杲杲白日，彼此搭配，讓全詩透出純潔清朗伶俐之感。

詩人遇景寄情，自己澄澈的心即如大地，真心擁抱時節帶來的自然恩賜。冬陽和煦、冰雪潔明，這雙重純潔明光，洗禮大地也洗滌人心。俗語有云：「冬日有三藏，身藏養壽、行藏養祿、心藏養福。」冬日可養精蓄銳，但陽光一出，照亮心地，和著落落白雪，兩重純潔之光，把沉潛蓄積的心智照得更加明亮、精光。冬陽瑞雪，使得思考變重回清明，攀上生命巔峰。

悵然

臘梅著花已是寒，孤星空光暗自談，
願往眾星薈萃處，怎奈食寒獨悵然！

二〇一一年一月十五日

詩喻

「孤星」喻蘇白，「眾星」喻好友！此詩寫給友人，藉天氣與孤星抒發惆悵之情。

賞析

與友人相聚是人生一大樂事，此詩以孤星自喻、眾星為好友，原因是清冷的天氣加上身體不適，無法與友人相聚，實在惆悵犯愁。人在友情中裡最舒適自在的狀態，是與對方真誠交心時，又可以自在做自己，人在學生時代最容易交到好友，彼此少利益糾葛，一入社會，這種純真的交誼已然少見，能交到知心的朋友並不容易。與「眾星」交好的「孤星」，雖然因為外在的因素無法與眾星相會，但相信能引起這樣番孤苦思緒的主因，想必是太重視這段友誼，才有這樣的愁緒。

青山

冬又春意盎然樣，東來紫氣丹心亮，
練精化氣何為來，或備老當且益壯！
留得真氣日春在，天行永健續強可，
來日方長也悠悠，青山綠水自然得！

二〇一一年一月二十日

詩喻

此詩描述即便寒冷天氣，大自然仍生生不息，永健永續。

賞析

創作此詩正是寒冬時節，拾級上山打拳，仍見眼前翠綠一片、耳聞蟲鳴鳥叫，竟有隱隱盎然春意。

詩人回想起友人的開示指導，配著練拳化氣，即使年歲將長，亦能保有真實精氣。正如《周易》有言：「天行健，君子以自強不息。地勢坤，君子以厚德載物。」未來時日且長遠，如同天體運行，周而復始，剛健有力，維持身體康健，等同效法天的剛毅、大地的厚實而勢順，而身邊可見的青山綠水，容載萬物，不但使心情自得怡然，襯著天地山水，容物修德，對照作者行拳養性亮出的紫氣丹心。

山邊天空

聽得鳥叫聲柔婉，聞覺百花秋香帶，
山邊天空多顏色，白鷺絲佇田水彩！

二〇一一年三月十八日

詩喻

本詩描述對大自然深刻的觀察，描繪清淨純粹的景色。

賞析

本詩創作於詩人例行打拳練氣之後，即使儘管事務繁忙，仍早起入山打拳，練習運氣吐納。練習時，將真氣匯聚丹田，呼吸時深淺、綿長久遠，穩定自主神經後，果然便覺紫氣東來。

古時名醫華佗所言：「人體欲得勞動。」實為千古不朽的養生格言；唐代醫學家孫思邈也認為：「養性之道，常欲小勞，但莫大疲。」適當運動、運氣吐納得宜，俾能一洗多日塵埃俗事於九宵雲外。練習罷，就會覺得耳清目明，放眼一片水田，聽鳥叫、聞花香、見白鷺，一片澄淨在心中，人生色彩耀然於眼前！

聲聲扣

春來百花開，細雨紛也來，
點滴落水聲，聲聲扣心懷。

二〇一一年三月二十六日

詩喻

心懷喻入世修行者，難以全然心頭忘卻煩俗事。本詩將雨落下的聲音與心境生動地連結起來。

賞析

本詩作於詩人早晨練拳之後，因為雨聲雨景而生情，詩意湧出。

全詩以「心懷」自喻為入世修行者，以眼見花開、耳聽細雨滴答，聲聲扣入心懷，象徵著煩俗之事擾心，難以忘卻，期待得到調節舒壓之法。身在詭譎多變得商場知中，因為不斷的有凡俗之事煩惱，所以經常感到不自在，但若時時法喜，即可處處禪悅。

The beauty of the lotus
The glistening green leaves floating on the water
The dazzling sunlight enhancing its lush greenery
Making one forget the hibiscus
That is as elegant and serene as the surrounding water

忘卻芙蓉

荷花美妙入眼簾，綠葉開展在水面，
艷陽帶來綠葉翠，忘卻芙蓉也似水。

二〇一一年三月二十八日

詩喻

荷花清純秀美，艷陽下綠意盎然，再再令人賞心悅目！本詩描述自然景物擁有純粹與溫柔的本質。

賞析

荷花搭配綠葉，在豔陽下景緻美不勝收，令人賞心悅目，尤其荷葉凌陽綻展，綠得極是清麗美豔！但荷綠花清，看似集榮寵於一身，給予寰宇世界撲鼻荷香、清芬可挹，展現真善美的高尚境界。

詩人見景反求自我，自勉更當為謙遜廉潔；若有懷才不遇又或許時遇不如意，更該如荷花，無須自嘆自艾，因為四季風景總是輪替更迭，這般榮耀那般沉潛，皆是釋放光芒，蓄積能量的美好機緣。雖說如此美麗畫面令人心情愉快，但是水面在翠綠的荷葉覆下，也因此而未能被見而遺忘，而那湖邊婉約清秀的芙蓉，和其溫柔似水的親切倒影，凡事一體兩面，見花賞葉，其中厚韻，令人沉吟再三。（註：荷花又稱水芙蓉）

已釀

清明時序悄然走，冷來已釀熱潮中，
五月若能開青空，端看四月堅定攻。

二〇一一年四月二十一日

詩喻

〈已釀〉向主管們傳遞清明時節產業氛圍，準備為下一季擬定策略。

賞析

在商場馳騁奔走，淡旺季與時節的流動，影響著業績。五月份的業績需要在四月下旬就有堅定的信念配合攻擊展開，以提振業績，不過歷經了一到三月的淡季，加上四月的清明假期的清冷氣候，整體氛圍撲朔迷離，但產品醞釀漲價的氛圍已經成熟。

詩人以短短詩句，將商場時節變化盡數點出，以此詩堅定決心，詳細擘畫攻防的策略，具有中唐邊塞詩的豪情，簡單的七絕詩，大器、豪邁的風格，就像盧綸千古流傳的五絕《塞下曲》：「月黑雁飛高，單于夜遁逃。欲將輕騎逐，大雪滿弓刀。」全詩滿紙決心信念，求勝心旺盛。

好夢

今夜思君入夢來，好夢由來最多懷，
愛在夢中歌無盡，又有餘音繞心樑！

二〇一一年四月二十八日

詩喻

好夢境、愛歌詠、誦不盡、繞心樑！

賞析

傳統詩詞中的夢境，多半都是噩夢或是好夢清醒後對夢境的失落或緬懷，前者如「垂死夢中驚坐起」、「夢斷香消四十年，沈園柳老不吹綿」，後者如「南風知我意，吹夢到西洲」、「可憐無定河邊骨，猶是春閨夢裡人」。

詩人以「好夢」為題，敘寫自己即使做了好夢，夢到了思念的人，還一起盡情歡唱，醒來後，仍保有歡愉心情。以心理學的角度分析，人會一直記得不好的事，是因為要記著被傷害自己感覺，藉以自我防衛，防止再次受傷，也因此，好的事情記不深，卻讓不好的事情反覆折磨自己，但詩人記憶「好夢」，甚至以此為題賦詩，更見光明積極的磊落之心。

落停

池畔綠意待楓情，就在茉莉花開醒，
豔陽翠綠綻放後，楓紅也盼葉落停。

二〇一一年五月十八日

詩喻

本詩以迷人的自然景色與茉莉花開，闡述季節更替時的心情。

賞析

詩人在晨間打拳時，偶見茉莉花將開，盛夏綠意在豔陽下美麗入眼簾；然而，末句筆鋒卻一轉而下，四季更迭，時令運行，轉眼已深秋楓紅，雖然有迷人景緻，讓人目不暇接，但楓葉自己都希望落葉時令慢來且遲到，彷彿不情願的離秋入冬心情。

人生世事本多無奈、本多感慨，在時光不斷流轉下，我們能掌握的只有當下的美麗、瞬間的火花。真正的「得道」與「幸福」不在永無止盡的追尋與悲嘆，喧囂浮世，想要追尋的很多，但就是因為萬物有「賞味期」，掌握這「期間限定」的當下，就能掌握自己的美麗人生。

好漢

古往且今來，柳暗花明時，
好漢疼好漢，才逢一新村！

相挺

芸芸眾生在，人人皆有苦，
若問苦何除，摯友相挺時！

自古

自古英雄惜英雄，拔刀相助義相守，
豪傑相挺惜情緣，卻也感動知心隨！

忘己

太陽高照夜來香，翠綠盎然丹心鄉，
只思群策情忘己，由來知心幾多許？

二〇一一年五月二十五日

詩喻

詩人以「好漢」「相挺」「自古」「忘己」為題贈友人詩作四首，展現彼此英雄惜英雄的深厚情誼。

賞析

本詩組為四首一組贈與友人。以題名觀之，第一、二首〈好漢〉、〈相挺〉，展現出彼此惺惺相惜之感，第三首〈自古〉又以古證今，表示古今中外的豪傑，英雄惜英雄的豪氣干雲，最後〈忘己〉則說英雄豪傑捨己為人的丹心俠義，為了彼此，忘卻自己。

雖然古人云「商場如戰場」，在業務往來而認識的朋友，多半是通過互相競爭認識，但是細細思想，商場又不那麼像戰場，因為做生意是互惠互利的過程，得失成敗不在一時，要是調性相合的友人、合作人，雙方都能得利，尤其在商場展露真性情的朋友，更是要特別珍惜感恩的對象。

方太極

每夜皆盼魚肚白，晚來入睡早起來，
萬籟喧寂皆為空，入定行拳方太極！

二〇一一年六月八日

詩喻　本詩闡述二十多年打太極拳來的心得，並抒發學習過程所得到的體悟。

賞析　詩人喜賦詩亦練太極拳健身二十餘年，早起有時天空還未亮透，就入定行拳，正是習文兼習武，功到自然成。就如唐代徐靈府詩云：「寂寂凝神太極初，無心應物等空虛。性修自性非求得，欲識真人隻是渠。」太極益處無須多言，撐開一片天，劃出一道雲，其中求「鬆」、「靜」、「空」。當中的「空」乃是太極拳最高境界，第三句的「萬籟喧寂皆為空」的「空」字，也是本詩的詩眼所在！詩人與友人分享，須在靜中放空思慮，放掉身上拙力，也與太極中「吞天之氣、接地之力、壽人以柔」的精神契合。

溝通

溝通由來為共識，共識只為任事求，
任事但須效率追，徜無效率共識摧！

二〇一一年六月八日

詩喻　本詩與公司同仁互勉，傳達治理者「團隊合作要溝通」、「有共識才會有效率」的理念。

賞析　本詩是詩人闡述對於治理公司的想法，將現實社會的商場現象，以近體詩方式呈現。第一、二句以「頂真」修辭，說明溝通、共識、任事的三個層次。第三、四句再以類似「回文」修辭，提出任事與效率的關係。「決策」與「執行」看似有先後順序，但一定要整體作戰，避免越級報告、越級指揮的多頭馬車現象，詩人認為應以「效率」為先，才一貫而下，讓公司內部的分層、負責與分工合作產生固定機制，是難得以古詩警醒現勢的詩作。

心盼

心盼茉莉何時花開，幾度欲澆多次祈待，
心想事成或可加持，清香飄來花也自在。
每星夜空盼魚肚白，一早便探茉莉花開，
雖得涼風拂來心靜，茉莉早開仍最期待。

二〇一一年六月三十日（永恆的回憶）

詩喻

本詩題名〈心盼〉，與友人分享晨間微風吹拂，伴隨著花香自在且平靜的感受。

賞析

人生總想著能否預知未來，但未來總是未可知，所以人們有了期待的情緒。詩人以「茉莉花開」作為全詩主幹，敘述每天勤灌溉，早晚探看，希望它開花，這「期待」的開朗心情貫串全詩，然而，如何排解與奮期待的心情呢？「涼風」是最關鍵的角色，徐風吹，撫平了活耀奔騰的思緒，只有心靈坦然自在，如迎著晨夏自然涼風吹來，而拂得一片心情平靜。凡事都有定期，天下萬也都有定時，只要靜心等待，水到渠成、瓜熟蒂落、花開芬芳。

春空月痕

春空雲來天連山，雲上晨曦星月散，康熙紫紅穹蒼罩，寰宇萬物彩霞到，
朝輝直探雲波漾，日照天干地支亮，山上笑雲若天低，月也漸遠星也稀，
早霞展開自然在，日漸艷麗炎炎態，山下何君初見曦，晨曦幾時灑大地，
人生生生也世世，雲天年年是相似，不知雲天探何人，早暉再見星月痕。

二〇一一年七月三十日　詩作于臺中返臺北高鐵中

詩喻

人生如早暉、星辰、月亮、白雲、大山和天地，雖有遠近、分合，但這自然自在的移轉和互動，正是千萬億年乃至永恆而不變的自然大道。

賞析

詩人在旅途中有感四時節氣幻化，萬物遵循穹頂宇宙的自然法則運行，潮汐沉浮、花開花落，春生、夏長、秋收、冬藏，人們在四季中的風景裡，參與輪迴的自然祭典。詩中看似以時間的推移，順序寫出晨曦、朝輝、紅霞、稀星與雲天，但也透露了看透天地時間流逝軌跡，無須懷悲時序延展轉化的豁達態度。

滿腹

太多太少皆不好，太高太低均無稽，
多少高低若掌握，何庸擔心盤開早。
八月一日開盤日，信心滿腹導市場，
如遇敵軍攻防到，冷靜迅速破圈套。

二〇一一年八月一日

詩喻

本詩傳遞治理者從容看待環境變化，並滿懷信心，以智慧勇氣和冷靜迅速來引導市場。

賞析

本詩是作者以詩詞闡述治理組織的成功心法，「滿腹信心」是首要具備重點，也因此以「滿腹」為題。詩中激勵主管階級的同仁，在股市開盤日儘管滿懷信心愉悅，自我定位的引導市場，坦誠自信，無畏無懼！細細分析，首聯「太多太少皆不好，太高太低均無稽」，即是以《中庸》的智慧開頭，秉持中道及常理，執中又求中和，不偏不倚、無過不及之名，展現在動盪市場中的修持工夫；這種中道正直的心，就是滿溢自信的來源。末聯則以敵軍比喻攻防時機一到，每月一日開盤，須滿懷信心，以智慧、勇氣和冷靜迅速愉悅的自我定位，引導市場，以可克敵制勝，這種自信就是「勿恃敵之不來，恃吾有以待之！」

入留

入秋涼意趁心頭，秋山楓開陽光柔，
雲天秋風秋雨落，最至期盼楓紅留。

二〇一一年八月十四日

詩喻

詩人內心祈願，多彩人生就像是那遍山連地的楓紅美景，能永遠駐足停留，不再往前行進！

時節變換之際，最容易引人發思古之幽情，成就動人的詩篇。

賞析

本詩中，詩人以季節為主題，描繪自身領會與感受，雖然深感夏意，但時序上已入秋了，而入秋之最美是楓紅遍地，煞是好看，於是詩人流連秋景，不願離秋入冬，因此在內心祈願，這片漫山連地的楓紅美麗景緻能永遠駐足停留。本詩表面上雖是讚嘆楓紅秋景的景色，但實際上也感慨光陰飛逝如矢，自勉能把握時光，留下人生最絢爛的一刻。

詩

月忽明忽暗忽亮，星若隱若現若漾，
人或憂或愁或喜，詩是風是雅是頌！

二〇一一年八月二十二日

詩喻

以「詩」分享理念或傳達感受，將感情與眼前景物訴諸於文字，就是詩人內心最美的寫照。

賞析

詩是最美、精煉的文字，作者自述常把內心的感情寄託於文字，然後成為詩詞歌賦，這種轉化發酵的歷程，是自然而然發生的反應，沒有原因，於是「寫詩」就是最美好的興趣。

詩歌的起源也就是心中有所感，發之於文字，西漢毛亨為《詩經》所作〈大序〉寫道：「情動於中而行於言，言之不足故嗟嘆之；嗟嘆之不足故詠歌之；詠歌之不足；不知手之舞之足之蹈之也。」意思就是說：情感在心裡被觸動，必然就會外顯表達在文字、語言甚至肢體動作上，心中有所感有所思，文字表達也會特別真切。

一牖

夜光一牖連月達，夢醒萬里盡風華，
屋內遍灑多柔情，月也羞澀窗外明。

二〇一一年八月二十六日

詩喻

午夜夢迴，盡是風華往事回憶。灑滿屋內月光，是我託明月傳達予妳的思念。本詩寓情於景，寄託月光傳達思念愛人的萬縷深情。

賞析

本詩是詩人為妻子所作的情詩。首句在以月光入題，午夜夢迴，盡是風華往事回憶，灑滿屋內的窗外來到之月光，就是滿滿的溫柔，是詩人遠在他鄉，託明月所傳達予妻子，由於這般多情溫柔的思念，託明月轉達的濃情蜜意，更加的深刻，窗外明亮高輪掛的月兒，似乎感應到這樣的柔情，更顯羞澀可愛。全詩充滿《詩經・陳風・月出》的風情：「月出皎兮，佼人僚兮。」描寫月光，進而襯托出思念愛人的強烈心情。

最盼

秋雁低飛欲燕語，恰如浮生千萬里，
秋去又有幾春時，最盼楓紅萬里存。

二〇一一年九月二十四日

詩喻

早上秋意漸涼，四季遞嬗輪替，塵世千頭萬緒，人生分秒珍惜。

季節在時光中輪迴，一年四季，周而復始，時光在濃淡的筆墨中遊走，詩人的筆，寫滿秋意，抬頭見秋雁低飛，彷彿人生任重道遠，千里之遠，千頭萬緒，責任重大。

賞析

全詩對應詩人的繁忙工作，雖然時光荏苒，春去秋來，仍得在當下戮力從公！末句寫到期盼楓紅萬里紅的心情，則表示天候時節惹人愁思起，但仍希望事業長紅，就如楓紅萬里留存。全詩看似悲秋之作，但更有著殷殷期望，期望在下一個季節更迭與輪迴中，再次開滿一山赤紅楓華的開闊。

莫若此

雞鳴咕咕狗旺呼，花香鳥語亦醒吾，
打開窗牖風簷下，展讀自在心滿足。
一賞秋晨晴朗景，二閱山水有詩情，
三聆蟲鳴鳥叫聲，人生美好莫若此。

二〇一一年十月二十一日

詩喻

秋天早晨，在陽光照亮大地前，雞鳴狗吠已然聲聲作響，花鳥香語亦不落其後，讓仍在夢鄉的詩人快快醒來，打開窗戶和大自然之美融合在一起。

賞析

秋天的早晨，在暖和的陽光照亮大地之前，雞鳴犬吠先迎接一日開端，花鳥亦不落其後，共同綻放鳴唱，彷彿促使仍在夢鄉的詩人快快甦醒！打開窗戶，和大自然的美麗融合在一起，翻開尚未讀完的那本書，再從窗戶望出去，而得來一賞、二閱、三聆聽之美好情境，種種感官的激盪，人生的美妙莫過於此！

全詩寫出恬淡自適的生活，眼前美景、圖書，充實感官也洗滌心靈。

心中情

天空彩霞若國輝，秋山鴻鵠也到飛，
不願離夏心中情，還勝出秋入冬景！
在秋時令已夏逝，只盼秋楓紅永駐，
離秋入冬景凋零，豈是人生自然景？
冬來可以雪紛飛，灑遍大地純白醉，
冰雪聰明若玉潔，人生四季怎可墜！

二〇一一年十月二十二日

詩喻 本詩對友人莊國輝董事長多年來的照顧表達感謝，更珍惜彼此間亦師亦友的情感。

賞析 此詩是詩人贈予摯友先進莊國輝董事長，定題「心中情」，闡明全詩創作動機與宗旨。所謂自古友情皆珍貴，因此全詩在首句破題「天空彩霞若國輝」，將摯友比喻如天邊彩霞，再將自己體悟四季的變化，和友人一同分享，賦詩相贈。雖然秋天將至，有不捨夏日知情，但是秋日楓紅也值得久駐，即使冬景常有蕭瑟淒冷凋零之感，白雪覆蓋大地的冰清玉潔，亦令人陶醉神往。詩人表示，四季有時，更迭輪替，各有奇趣，心中觀照萬物的情懷，也期望贈與莊董事長一同玩味品嘗。

紅海傷

銅價漲跌多盪漾，市場競價紅海傷，
擇項選樣取捨間，但看何者黑字亮。
雖是十月低均價，累加成本仍高駕，
定奪難無忐忑起，快別秋冬來春夏。

二〇一一年十月三十一日

詩喻

市場競爭激烈，需以獲利至上為原則！擇其優者多取之！選其劣者多讓之！

賞析

作者以詩詞講述商場現勢，並向主管解釋決斷策略的心法並下達指令。內容提及銅價漲跌起伏的情況，同業及市場以紅海策略來操作，但總是血流成河，此時必須有所取捨，特地挑選弱符合市場需求弱電商品，搶攻其餘弱電，也要以競爭市場的分佈慨況進行分析，經過組合判斷，釐清是否接單。作者表示，每年十一月市場競爭將更為激烈，仍然以獲利至上為大方向，擇其優者多取之，選其劣者多讓之。

全詩緊湊，讀來彷彿有百戰沙場邊塞，歌詠拓土開疆，有大開大闔的豪氣。

撒網

策略若可行，網羅大魚贏，
撒網勝釣魚，弱電速成型！
釣竿放長線，魚上鉤才現，
目前灘頭堡，有若魚網好！
主管用心多，必得佳果早，
再探討價位，調節諸葛導！

二〇一一年十二月五日

詩喻

〈撒網〉一詩將與公司同仁分享市場策略，表達市場競爭要有三國諸葛亮的智慧。

賞析

全詩以撒網比喻商場布局，並提點同仁主管，全文看似淺白，但實寓意頗深。

首聯、二聯：「策略若可行，網羅大魚贏，撒網勝釣魚，弱電速成型」，表示若行動如姜太公釣魚準備釣願者上鉤的，難以獲得成功，因為姜太公釣魚竿根本無鉤，魚跳起來咬才釣得到，轉為實際操作，必須撒網才網羅密布，能一網打盡。而目前公司所建立的灘頭堡可撐起一片網，把網撒下全國，必然有所收穫，遇到價格競爭之戰時，視需要緩和或迅速調節漲價或降價，兩者巧妙運用，一如諸葛孔明般，以智慧引導應對。

基本功

鏡子不留水，常保明亮隨。洗手台無垢，洗手乾淨夠。
馬桶內外亮，蹲坐輕鬆樣。來廁所清靜，手務洗乾淨。
小便暢通時，異物先排除。地板乾爽亮，天天清心樣。
桶高十分足，垃圾七分除。盒子桶子淨，賞心悅目映。
牆壁當清潔，壁畫有山水。盒蓋桶蓋潔，高風又亮節。
灰塵蜘網除，通風雅頌足。這般基本功，氣質在其中。

二〇一一年十二月十二日　（蘭花草）

詩喻

本詩贈與公司全體員工，公司治理得當務從廁所環境整潔開始，進而培養全體同仁向心力。

賞析

治理公司須從小處著眼，自文化面與精神面徹底落實，唯有紮實的文化底蘊，才能夠凝聚更多人的向心力跟歸屬感。

詩人認為「小處」可從廁所清潔開始，前面使用完的人要留給後面的人乾淨的環境，再換下一位，大家依照這個原則如廁，廁所是一片乾爽、乾淨明亮，因此賦詩並搭配近代民謠「蘭花草」吟誦，形成企業中罕見的優質廁所文化。

兩無猜

萬籟俱靜兩無猜，擁抱星月同心栽，
借問樹梢初醒雁，早曦魚肚兩情白。

二〇一二年一月六日

詩喻
本詩題名〈兩無猜〉，對友人彼此情誼給予深深祝福，也傳遞出彼此公司合作帶來的好結果。

賞析
全詩以「兩無猜」、「同心」、「兩情白」表現出堅定的情志。「兩無猜」原意是指稚齡男女，彼此天真無邪，毫無避嫌與猜疑。

詩人的創作以感情寓志，不論用於商場交誼或象徵友情親情之情感堅定，都十分恰當，正如朱慶餘〈近試上張水部〉：「洞房昨夜停紅燭，待曉堂前拜舅姑。妝罷低聲問夫婿，畫眉深淺入時無。」真正要表達的意思是把自己比作精心打扮妝容的新婦，詢問張籍是否看好考科的作品，借喻得當，全詩充滿深濃意味。

離夏

望落日餘暉念汝，灑金霞滿地孤獨，

盼明月高掛秋月，是咱倆千里嬋娟！

二〇一二年一月十八日

詩喻

本詩畫面、感情皆豐富，以入秋明月高掛描寫時間，期盼與友人能盡快見面。

賞析

蘇軾〈水調歌頭〉：「但願人長久，千里共嬋娟。」意思是兩人不管相隔千山萬水，期盼都可以一起看到明月皎潔美好的模樣。自古「月」常出現的意象是鄉愁、是閨怨、是送別。像是如李煜的「春花秋月何時了，往事知多少」抒發了亡國悲愁，以「月」託以苦悶與無奈；白居易的「月明人倚樓」刻畫了古往今來的思婦形象。

本詩作者延續傳統詩文的意念以景喻情，道別朝夕相處的炎夏夕陽，入秋後又失去溫馨暖和的彩霞夏日夕陽餘暉，因此切盼入秋之明月高掛，與伊人千里共嬋娟的期盼心情。

開懷的

開懷的奔馳南北走，蔚藍的天空遨翔遊，
感動的情誼八方在，牆上的經綸幾萬載！

二〇一二年一月二十日

詩喻

詩人為工作奔波的同時也結交各方好友，更不忘保持寫自己喜愛詩詞創作的熱誠。

賞析

全詩書寫詩人開懷奔走四處遨遊各處的心情，本詩首句直破「開懷」心境，再寫「遨翔」的自在，接著由景轉情，寫「感動」的情意。末句從虛轉實，畫面定格在牆上地圖的看著曾經的軌跡經緯度，讀之頗有杜甫〈聞官軍收河南河北〉一詩的快意心情，杜甫在這首詩下自注寫道，該詩主題是抒寫忽聞叛亂已平的捷報，急於奔回故鄉的喜悅。詩人多年飄泊備嘗艱苦，如今「忽傳收薊北」，驚喜的洪流，一下子衝開了鬱積已久的情感，以形傳神，表現突然傳來的勝利捷報帶來的驚喜心情，詩人心情可謂千古遙相應。

鷺若

迎來早曦白金空，北國寒雪暖陽冬，
蒼松烏鷹飛鴉雪，鷺若潑墨山水工。

二〇一二年一月二十五日

詩喻
本詩與友人一起分享日本北海道之冬雪美景。

賞析
本詩為作者北海道旅遊賦詩而成。北海道位於日本最北端，冬天白雪覆蓋大地，飛鴉起舞，就像在冷冽空中畫出一道潑墨！全詩以七言絕句形式呈現，文字精短，韻味無盡，各類顏色齊發，作詩如作畫，首句「白金」色出亮眼，第二句「寒雪、暖陽」熨出一絲煙縷，第三「蒼」、「鴉」深色出筆，胸有成竹，大膽飛入詩中，搭配而成一副濃淡合宜潑墨山水畫。宋代蘇軾曾評價王維詩：「味摩詰之詩，詩中有畫；觀摩詰之畫，畫中有詩。」作者之詩恰似王維，更是以詩作畫。

相隨

松柏相伴左右立，一如永生好友聚，
如影相隨形相惜，還有月兒星空敘。

二〇一二年四月十三日

詩喻

本詩表達珍惜朋友間互相學習一起成長的情感。

賞析

二〇一二年詩人應邀前往雲林科技大學為學生進行講座後，旋即賦詩贈予聽眾留念。詩中奇趣之處，是將友人比喻為松柏，一是冀望松柏常青，友人常保康健，借青勁松柏能伴隨左右顯示好交情，二是以松柏象徵堅貞，松柏枝葉傲骨崢嶸莊重肅穆、歷嚴冬而不衰，稱頌前輩好友冬夏常青，凌霜不凋，可傲霜雪的風骨氣質。古有言：「松柏雲霞凝劍氣，江山風雨鑄詩篇。」松柏常伴左右，作者與之學習，以江山風雨的歷練，鑄打成詩，應證了詩題〈相隨〉的敬服之意。

曉山遙

翠柏蒼松伴吾懷，葉翅楚楚鳴燕來，
鳴聲奏醒山中鳥，鴻鵠展翅曉山遙！

二〇一二年五月五日

詩喻

本詩與友人分享這個世界自然的美好，也以祝福的心態迎向未來每一個挑戰。

賞析

企業經營是門大學問，日前（二〇二二年八月二十四日）過世的日本知名企業家稻盛和夫接手申請破產保護的企業，以不到兩年的時間，帶領企業起死回生。旁人問他秘訣，稻盛和夫回答就是十二條經營哲學，用文化與業務融合，需要交流互動與思想碰撞，形成共識，實現上下同欲。

詩人有感企業永續經營及追求成長之責任落實的不易和艱難，就如有鴻鵠之志，仍期勉在景氣低迷之際，帶領公司挑戰達成年度目標。

盼曦東

又是燕語婉柔早曦亮，分貝多芬芝蘭挹芳香，
杜鵑秋波臨別迎茉莉，夏雨如豆聲聲清欣漾！
雨過天晴彩虹兩道拱，金銀黃霞千紅萬紫空，
星又隨月相伴亮夜中，萬水千山一心盼曦東！

二〇一二年五月九日（思念總在分手後）

詩喻　本詩以正向的心態迎接每一天，期待讓生活變得更好。

賞析　《詩經．凱風》云：「凱風自南，吹彼棘心。棘心夭夭，母氏劬勞。凱風自南，吹彼棘薪。母氏聖善，我無令人。爰有寒泉？在浚之下。有子七人，母氏勞苦。睍睆黃鳥，載好其音。有子七人，莫慰母心。」詩人承繼母親的慈善庭訓，樂觀積極又開朗，人生美麗自然，便充滿在樂觀美亮之中，期待著美好的明日到來。全詩色彩萬千，又有晴雨氣候，深刻感受作者愛母之心。

On the summer evenings that are chilly
The shy stars hide behind the clouds diligently
The earth's shadow covers half of the moon's face
As I listen to nature's symphony

亦微羞

夏夜偶涼快，星亦微羞帶，
月兒半遮面，聆聽蟬天籟！

二〇一二年五月二十二日于香港

詩喻 詩人望見夕陽西下彩霞，好似笑容滿面，浪漫想像今晚將會是一個詩意的夜空。

賞析 本詩以中英文雙語展現作者在夏天向晚，望見夕陽西下彩霞展開，好似空中笑容滿盈的情景。中文以五絕呈現，篇幅雖短，韻味卻濃，英語則短述星空月夜似露未露的景緻，中英並陳，巧思極具，展現因心愛的家人起了詩與的隨性共享之心。

天空中還沒出現的星星，就像含蓄的心情，感應溫情而閃出幽微爍亮，月亮也像星光一樣，羞赧半露面，雖然尚未見到星辰月亮，但不難想像，今夕仍舊是一個詩意滿盈的夜晚。對於家人的思念與牽掛，伴隨自然的蟬聲，希望透過詩作，讓家人感受恬淡夏夜中傳遞的深刻祝福。

花潤麗

萬籟曉鳴或展開，忽來多大落雨猜？
擊窗聲響徐少急，若覺雨落花潤麗！

二〇一二年五月二十六日

詩喻

雨天會使花瓣掉落，但雨過天晴後，花瓣也會被雨水滋潤而變得更美麗。一覺醒來，猛覺昨夜下了一場雨，但不知雨勢大小，只聽得落雨擊窗徐徐，並不十分急驟，在雨水的浸潤下，花朵更顯滋潤、豔麗。

賞析

本詩讀來頗有孟浩然〈春曉〉況味：「春眠不覺曉，處處聞啼鳥。夜來風雨聲，花落知多少。」孟浩然之詩詞意淺顯情景真切，處處流露出春意與惜花情懷；而作者卻透露出「雨來也佳」的隨興之情，更顯積極正能量。

小為先

大要尖端有頂天，豈能踩小自為尖，
人生有容方乃大，恰若尖字小為先！

二〇一二年五月二十八日

詩喻

能夠成為「大」都是由「小」開始，大之所以為大，也包容了小。

賞析

本詩拆解「尖」字，體悟出一番人生道理。在田徑場上，跳高選手們在縱身跳躍千必須先屈膝，蓄積能量後，才能起跳腿用力擺出。人生不可能一帆風順，平穩順遂固然可喜，但遇到挫折的挑戰，亦不足以畏懼，只有忍耐，不斷積蓄爆發的力量，才能起跳獲勝！唯有先蹲下，然後才能跳得更高更遠！就是「頂尖」、「拔尖」者，站在金字塔頂端的，永遠是粹練之後，放下身段、阻礙、紛亂，澄明心境輕如燕者，就像跳高選手，蹲下並不是屈從，適時蹲下、縮小自己，擁有平靜之心，下次就會一躍而起，成為至大至高者！

本是緣

好友幾多本是緣，風箏飄飛緣牽線，
東邊和風兄弟醉，深山空谷情義田！

二〇一二年六月七日

詩喻

人生好友幾多人？〈本是緣〉一詩藉由風箏抒發情懷，描繪與好友之間的真摯情感。

賞析

本詩以風箏之線象徵緣分牽起友情，寓意饒有奇趣，不落俗套。就如古詩有云：「骨肉緣枝葉，結交亦相因。四海皆兄弟，誰為行路人。況我連枝樹，與子同一身。」

人的一生中，交友也許無數，但其中能成為摯友知己的卻沒有幾個。有了好友的助益，就像是俱備萬事後再加上東風的到來，友情的充實，一如那東風已備，才能讓風箏因有緣牽線下而翩翩飛揚；風箏高飛，縱使雖處於深山空谷中，亦可看到這一片片情義之田，豐富了也多彩了人生的內涵。

秋波送

思念中情絲萬萬縷，愛若水柔婉千千里，
靜幽悠相悅兩情會，衷純潔珍愛在心裡！
夏蟬鳴夜難捨春戀，秋叫蟬也使春水寒，
茉莉花春鵑秋波送，夜來香八月桂花看！

二〇一二年六月十八日（黃昏的故鄉）

詩喻　本詩寓情於景，蘊含對大自然深刻的觀察與心中思念。

賞析　世間四季春夏秋冬，週而復始，不盡輪迴，但每個季節都有其獨特的美麗之處，在詩人筆下，四個季節更是呈現出多姿多彩的迷人景緻，令人產生萬縷情絲、千里柔婉。四季的特點，夏蟬、秋蟬、春鵑的聲聲啁啾，茉莉花、夜來香、桂花的綿綿香氣，在感官的感受下，季節帶給人的感受更加明顯。但詩人感嘆，每個季節的美，總是交替，尚且捨不得這個季節，下個季節又將到來，纏綿的心情，都是因為太過深愛著自然界的循環不息。

心笛未隔夜

江湖裡，漣漪乎？浪濤推滾波漲洶湧起！
星空上，月光否？星帶寒光漾來淚灑地！
愛深刻，心望矣！知音有幾日盼伴朝夕！
人生中，情真也！巧妙相隨心笛未隔夜！

二〇一二年六月二十六日　舊金山

詩喻

此詩藉由漣漪與浪濤、星空與月光，真情流露地傳達出愛與思念。

賞析

人生難逢知己知音，但人生所貴之處就是與知己相知相遇。自古有云：「人之相識，貴在相知；人之相知，貴在知心。」天下快意之事，莫過於與摯愛者或朋友分享，江山亦不足重。

作者以三言、三言、九言類似元曲格式述說心曲，在「江湖裡」、「星空中」各有波濤、寒光，但在心深處，仍希望「知音有幾日盼伴朝夕」，這也正如王安石所云：「人生樂在相知。」人的一生嘗盡千滋百味，需要家人、伴侶的呵護陪伴，更需要知音的溫暖和理解。本詩創作於美國舊金山，作者在作客他鄉之際，這願望更顯情深意切。

大山歌

情無盡、愛無邊，仰天一長一長嘯，
汗不住、累不休，滄海一嘶一嘶聲，
許多秋、幾多愁，桑田一粟一粟粒，
坤福開、千秋在，大山一山一山再！
名門人，大山衷，吻鞘出劍舞東風，
正派懷，浩然充，聞風順推來者功！
文人情，雅士風，觸筆只有肝膽忠，
忠義節，正氣胸，由來善已在其中！
汗不住、累不休，滄海一嘶一嘶聲，
許多秋、幾多愁，桑田一粟一粟粒，
坤福開、千秋在，大山一山一山再！

二〇一二年七月十六日（兩忘煙水裡）

詩喻 本詩題名〈大山歌〉，將治理公司的理念與做人結合，無論做什麼心中都該隨時保有善念。

賞析 全詩以公司之名「大山」貫串，傳達出仰天長嘯、正氣浩然的豪情胸懷，是作者個人極為喜愛的篇章。

詩作千首之感想

詩是內心的純境，詩是文中最美文，
詩是即與而自發，詩無古字刻意填，
詩無情感之虛假，詩無修改的意味！

二〇一二年八月一日

詩喻賞析

詩詞創作讓詩人聚焦在讓自己快樂有成就的事，展現最純真、最美好的樣子。詩歌是一種特殊的文學體材，透過優美、精鍊、押韻的文字模式，在有限的字數中，透過各種隱喻、典故，訴說情衷或表達情志。

《詩經》有言：「風，諷也。教也。風以動之，教以化之，詩者，志之所之也。在心為志，發言為詩。……故詩有六義焉。一曰風，二曰賦，三曰比，四曰興，五曰雅，六曰頌。」本詩作者與《詩經》：「詩者，志之所之也。在心為志，發言為詩。」之旨頗為契合，更認為詩詞就是吐露心中純真境界，是無意、即與頓悟之作，因此不刻意為文生情，也不刻意填字，為的就是不要製造虛假的情感，和修改的斧鑿痕跡，這也是創作近千首詩歌作品後的真切感受。

花香花

幾束黃花枝片垂，蟬鳴綠葉樹稍墜，
借問鳥語花香話，花香花落總相隨！

二〇一二年八月六日　詩作于臺北返臺中高鐵途中

詩喻

詩人藉由景物的變換感嘆時間匆匆流逝。

賞析

現代人的工作繁忙，壓力龐大，不少人就像陀螺一樣，每天不停的轉啊轉的，一天又一天，一年又一年。民間有歌：「流多少淚出多少汗，有多少心酸、多少感嘆，日復一日、年復一年，千萬個故事唱在裡面。」《後漢書．光武帝紀》：「天下重器，常恐不任，日復一日，安敢遠期十歲乎？」，這也道出了詩人的憂心，在高鐵南來北往的通勤時光裡，看到眼前風景，垂枝的幾束黃花，蟬鳴與綠葉，看似美好的景緻彷彿不知時光流逝似的，也只好「借問鳥語花香話」，希望可以得到解答。但事實上，花香花落，季節的流轉是不等人，縱使憂心忡忡，也只能寄情風景，排遣憂愁。

朝陽輝

一早夢醒抖擻狀，柱蠟燭滅一牖光，
擎若晨曦橫灑遍，天空氣息朝陽輝！

二〇一二年八月二十五日

詩喻

〈朝陽輝〉一詩充滿活力與朝氣，以蠟燭作為比喻，工作與生活都該恰如其分。

賞析

詩人以「蠟燭」為主題，突發奇想，立意甚妙，早晨夢醒，看見那柱昨晚入睡前吹熄的蠟燭，仍然本份的立站在其崗位上。蠟燭不動乃是平凡的正常現象，但是配合早晨陽光灑入屋內，蠟燭直立不屈不撓，更令人感受到蓬勃的朝氣。

古人常以「松柏」象徵屹立叱詫的堅貞風景，松枝傲骨崢嶸，柏樹莊重肅穆，四季長青，歷嚴冬而不衰，如《論語・子罕》所云：「歲寒，然後知松柏之後凋也。」詩人以日常生活可見的蠟燭作為植物比喻，奇巧之趣味橫生，令人會心一笑。

扣扣珍

溪頭芬芳藍藍天，神木蒼勁翠翠真，
兩手相牽步步隨，緊握之間扣扣珍！

二〇一二年九月十四日

詩喻

本詩為溪頭遊玩時所作，充滿年青歲月的浪漫情懷。

賞析

本詩為詩人溪頭遊玩後的抒情之作，先寫溪頭景色，再由景轉人，寫著與伴侶十指相牽、步伐相隨的鶼鰈情深。

全詩七言四句，每一句的五、六字皆以疊字出現「藍藍」與「翠翠」寫景色、景物的舒朗之色，「步步」與「扣扣」顯示相依相隨的情態。使用疊字的目的，更顯文學書寫上的藝術展現，且頗有敦煌曲子詞〈菩薩蠻〉意境：「霏霏點點迴塘雨，雙雙隻隻鴛鴦語。灼灼野花香，依依金柳黃。盈盈江上女，兩兩溪邊舞。皎皎綺羅光，輕輕雲粉妝。」可謂真情滿紙。

The gleaming mid-autumn moon reminds me of you
Even in the morning you're still shining through
A marble white sky fills the morning hue
Through all 4 seasons, through sunrise and nightfall
I find myself continuously thinking of you
You are a blessing I can't bid adieu

明月思

望中秋明月思汝，盼魚肚晨曦是吾，
如牽腸掛肚若此，有春花秋月亦福！

二〇一二年九月三十日　中秋佳節思念的心情

詩喻

詩人於中秋時節將情感寄託於明月，表達思念之情。

賞析

本詩在中秋所作，同時也以英文撰寫。中秋本是華人闔家團圓時，人們團聚一堂，聚會賞月，慶祝秋天豐收，也共同祈願家庭美滿。

本詩題目〈明月思〉，與李白〈靜夜思〉有相似的命題背景，李白是夜晚有懷，詩人為凌晨夜起，看到明月想起家人，頗與唐代詩人張九齡〈望月懷遠〉同感：「海上生明月，天涯共此時。情人怨遙夜，竟夕起相思。滅燭憐光滿，披衣覺露滋。不堪盈手贈，還寢夢佳期。」但詩人又在末句跳脫悲傷之感，惜福於有春花、有秋月的四季流轉，能享受當下，也是一種幸運。

好心情

明月中秋照滿地，舉觴一飲對月盡，
一樣夜空兩樣景，最是真心好心情！

二〇一二年九月三十日

詩喻

詩人於中秋佳節對月舉杯一飲而盡，託其傳達內心祝福給予分隔兩地好友。

賞析

本詩創作於中秋時節，眼見中秋之月圓滿明亮，月光灑落，詩人雅興增生，對著月亮舉杯敬酒，將皎潔的月亮看作是各位親朋好友，希望對此傳遞祝福的心情。

此詩頗有李白有詩〈月下獨酌〉之況味：「花間一壺酒，獨酌無相親；舉杯邀明月，對影成三人。月既不解飲，影徒隨我身；暫伴月將影，行樂須及春。我歌月徘徊，我舞影零亂；醒時同交歡，醉後各分散。永結無情遊，相期邈雲漢。」只是李白之詩待有些許悲涼，但詩人此詩正如題目所言，傳遞了中秋祝福的「好心情」，有著反常合道的趣味。

雀鳥

秋晴白雲藍天空，山青葉翠扶搖中，
雀鳥低空高飛過，水秀晶瑩剔透東！

二〇一二年十月八日

詩喻

本詩描寫秋天氣息濃厚，借鳥兒的飛行抒發對人生高低起伏的詠嘆。

賞析

本詩以「雀鳥」為題，以小見大，飛翔活躍於枝葉扶疏林間樹蔭的雀鳥，通過詩詞刻映襯出山藍天青山景緻畫面，放牠們飛翔嬉戲，讓全詩添上生氣。麻雀偶而低飛，卻偶又昂首自信充滿了希望高飛而上，恰如人生高低起伏一般，只要自己人生歲月之中善盡孝道，克盡職守，真心真意，就能讓自己的人生江水，在此大自然美麗景緻的擁抱之中，清澈見底晶瑩剔透的往東流了。

唐代盧象有亦有〈青雀歌〉一首：「啾啾青雀兒，飛來飛去仰天池。逍遙飲啄安涯分，何假扶搖九萬為。」與詩人之無愧於心的瀟灑坦蕩，跨越古今，其心皆同。

雪山頭

中秋圓月悄然走，深秋不遠楓葉紅，
楓紅飄散入冬令，青絲漸若雪山頭！

二〇一二年十月八日　詩作於臺中往臺北高鐵途中

詩喻

本詩以景喻人、真情流露，不捨看見摯愛親人年華老去。

賞析

〈雪山頭〉一詩作於中秋時節，在良辰美景的當下，反襯感嘆時光流逝，年華不再。楓紅深秋都在預告冬令將至，再美麗也引發愁思，這般的愁緒，由景轉人，楓紅後就是白雪降臨，再由人轉景，頂上一頭烏絲逐年發白，就像是冬日漸漸積雪的山頭。

全詩虛實相間，景色與人事的交替變換十分順暢，先是即景入情，從情轉人，最後再化人為理，訴說內心的悲嘆時光流逝，人漸老去的思念。

A flower's zen personality
Leads the petals to tranquility
The stem leaves follows along
Creating a flower with gentility

純香

禪在花蕊中，花瓣皆來修，
綠葉盎然樣，沁花蕊純香！

二〇一二年十月十一日　在植物園晨間打拳的感觸

詩喻

本詩〈純香〉描寫晨間打拳，沉浸在自然環境裡，內心也變得平靜。太極拳與中庸之道關係十分密切，太極拳是在動中求靜，以不變應萬變，且不是執守不變，而是隨人因事而有所不同，同時，太極拳中的「進」、「退」、「顧」、「盼」，亦是人隨時間變動，必須默識揣摩，才能隨心所欲，不失「中定」。

賞析

詩人習拳有成，本詩以花朵比喻中庸太極，詩眼「禪」字，正為目的，為花蕊，大正至中，不偏不倚，又如太極「立身須中正安舒，支撐八面」，四周花瓣、花旁綠葉則為向學者，花蕊、花瓣與綠葉，互相托襯，因此綻出圓滿而完整的純香氣。全詩以花喻禪，融大自然、形上學、文學藝術展現三位一體，看似簡單卻氣韻滿盈。

若谷深

小小拙見如淺淵，謙和灼見若谷深，
稻穗飽滿還低垂，喜見楓丹白露飛！

二〇一二年十月十八日

詩喻

〈若谷深〉一詩表達樂意與他人分享知識與技能，互相切磋的同時更保持謙虛氣度。

賞析

本詩以田園景色象徵內心的喜悅敬佩，卻又具備著重情、謙遜的格局，讓人如沐春風，連白鷺鷥都欣喜的感受到而飛舞起來。

法國哲學家、政治理論家盧梭曾說：「偉大的人是絕對不會濫用他們的優點的，他們看出他們超過別人的地方，並且意識到這一點，然而絕不會因此就不謙虛。他們的過人之處越多，他們越認識到他們的不足。」詩人筆下以常見的成語「虛懷若谷」入詩，見之親切不艱澀，我手寫我口，完整書寫心情。

心寧靜

水波心寧靜，盪漾日波中，
秋水若吹皺，細紋亦近冬！

二〇一二年十一月六日

詩喻

本詩感慨光陰飛逝，並與好友分享蕩漾波動的複雜心情。

賞析

這首詩是詩人有感光陰飛逝如箭，在職場征戰三十餘載，卻有幸與好友相識，珍惜友誼的作品。

首句直寫心情，雖然現實生活考驗如波濤洶湧，但內心如寧靜之水，波心靜止不動，「心寧靜」也直指詩題，不過此時卻有秋風一陣吹皺水面，形成細紋，即使心情穩定，但人生走此，也不禁有離秋近冬的慨嘆了！本詩頗與唐代王翰名著〈涼州詞〉有相似情懷：「葡萄美酒夜光杯，欲飲琵琶馬上催。醉臥沙場君莫笑，古來征戰幾人回！」但以水波比喻心波，又以心波象徵季節，跳脫窠臼，其間的複雜情緒，讀者需慢慢咀嚼才能細味。

The sunset darkens into a fall scenery
And the snow begins to fall at midnight
By 1:00 the world feels brisk cold
By 3:00 sweet dreams start to seem like reality
At dawn the sunrise slowly begins to shine in
The sweet dream gradually fades away
The ultraviolet sunrise shines in from the West,
And I realize my reality is sweeter than my dreams.

冬霜落

入夜似有秋色澤，午夜降來冬霜落，
一更正是寒意深，三更已然思夢真！
早曦微光睡中醒，沖淡夢鄉幻象境，
朝陽東來紫氣時，方寸仍在真情勝！

二〇一三年一月五日

詩喻

冬霜落，寒意深，讓思緒跟身心一起休息，睡夢中的美好將會隨著窗外朝陽延續到生活中。

賞析

本詩寫秋夜入冬的情懷，看似即使冬天已經降臨世界，霜氣滿天，但是在早晨甦醒時，窗外的朝陽還是帶來充沛真氣。詩人使用直接、淺白的語句，時鐘指針滴答，過了一點，直到三點、四點、五點，透露了冬天悄悄到來的景況，雖說中文字博大精神，一字可多義，詩歌短語更有紙短卻情長的效果，透過中英兩版本對照亦頗有奇趣。

一紅帆

檀香清芬美心得，湛藍波海沈著多，
滿山蒼綠一紅帆，凡塵怎能山水說！

二〇一三年二月十三日　于檀香山

詩喻

詩人借海上紅帆小舟之景，比喻應該保持敞開的感知與心境，在生活中體驗波海清芬。

賞析

詩人透過偶見的一艘紅色小帆船而有感，即使世界如滿山蒼綠，人生正該如小紅帆「入世而修，樂山樂水」的價值觀。

首句「檀香」一語雙關，道出創作地點是美國檀香山，又寫詩人走在幽靜小林聞到滿滿的陣陣清芬，檀香多為佛壇聖地所用，有一說是行善多年或者與佛道有緣的，會突然聞到檀香味，表示為佛菩薩和道教神靈的護佑加持的結果，正如《楞嚴經》有記：「於意云何，此香為復生栴檀木？生於汝鼻？為生於空？阿難，若復此香，稱鼻所生，當從鼻出；……其煙騰空，未及遙遠，四十里內，云何已聞？是故當知，香鼻與聞，俱無處所。」透過詩作，隱隱顯示其已得道卻甘願入世的情懷。

美麗天天

昨晚幾點睡著，陪伴愉悦入睡，
今晨醒來很好，帶著美麗相對！
望遠看星看月，闔眼隨心而醉，
夢裡星月相悦，張眼心志不墜！
晨曦破曉時光，萬紫千紅乍現，
起身充滿希望，就在美麗天天！

二〇一三年三月三日

詩喻 〈美麗天天〉一詩意喻隨時保持開朗的心態，在生活與工作上取得平衡。

賞析 詩人以口語、白話的文字，鋪排成韻律詩歌，不似古典詩歌般詰屈聱牙，多用典故，不掉書袋，不講晦澀之詞。

詩題「美麗天天」已將愉悦心情表現無遺，首句詢問對方是否睡好，由於帶著愉悦入睡，因此今晨醒來亦感覺很好，睡前望見星月，這也在夢中出現，再看到破曉時光的晨光明媚，又是充滿希望的一天。頗有杜甫〈早起〉一詩：「春來常早起，幽事頗相關。帖石防隤岸，開林出遠山。一丘藏曲折，緩步有躋攀。童僕來城市，瓶中得酒還。」的悠然快意。

零全歸

一壺茶，五六杯，茶盡空杯留餘威！
幾顆豆，六七堆，啃清無堆僅殘灰！
玉米鮮，七八根，啖完不過一縷煙！
人生事，零全歸，餘威殘灰莫再追！

二〇一三年三月十日

詩喻 詩人心中充滿瀟灑與樂觀，展現豁達開朗的人生態度。

在古詩詞中有許多妙趣橫生的文句，以數字入詩也是古詩詞中常見的一種寫作手法，深具意義也不失內涵風趣。

賞析 詩人以「零」為詩題，開頭一壺茶開始，五、六杯茶喝完，六、七堆豆啃完，即使吃掉七、八根玉米，人生不過「飲食男女」，最後只剩殘羹冷餚，應更豁達開朗，沒有什麼好計較的，這也如清朝乾隆帝所作的數字詩有著異曲同工之妙，其詩曰：「一片兩片三四片，五六七八九十片。千片萬片無數片，飛入梅花都不見。」兩者同樣講述從容豁達的哲理與意境。

日月前

好友相聚幾多回，每回餘音繞耳迴，
談笑風聲兩白間，潘蘇松柏日月前！

二〇一三年三月十二日

詩喻

朋友相處間總會獲得許多正能量，也為他人帶來深遠的影響。

賞析

本詩為詩人與好友潘白相聚，愉快談天，笑聲總是停不了，愉悅的心情有如唐代詩人孟浩然〈過故人莊〉：「故人具雞黍，邀我至田家。綠樹村邊合，青山郭外斜。開軒面場圃，把酒話桑麻。待到重陽日，還來就菊花。」兩人就如同松樹、柏樹般互為知音，由於松樹和柏樹同樣是長壽的象徵，松柏就是代表永遠青春有活力的意思。談笑風生間充滿了樂趣，抒發了詩人和朋友長久真摯的友情。

全詩語言雖然平淡，但是細細品味後，眼前歷歷可見兩人真摯友誼，將景、事、情完美的結合在一起。

湖心情

三月小雨偶西東，水波微漾漣漪中，
湖心情懷總詩境，時有雙魚躍水沖！

二〇一三年三月十四日

詩喻

雙魚自由自在，悠閒又浪漫的游動和跳躍在詩意湖光山水之中。本詩描寫雨中湖畔悠閒浪漫的心境。

賞析

本詩為詩人在三月遊湖，見湖心到一雙魚兒彼此如影隨形、自由自在、悠閒又浪漫的跳躍在詩意的湖光山水之中，心中充滿了喜悅和滿足。古代詩詞歌詠魚兒頗多，例如唐代杜甫〈水檻遣心〉二首的意趣，其一云：「去郭軒楹敞，無村眺望賒。澄江平少岸，幽樹晚多花。細雨魚兒出，微風燕子斜。城中十萬戶，此地兩三家。」詩人眼中的雙魚，好比有知心伴侶的歡欣，伴隨偶飄的三月細雨，春意滿盈，詩情畫意，這些都成為人生中美好又難忘的回憶。這也與〈水檻遣心〉二首之二：「蜀天常夜雨，江檻已朝晴。……淺把涓涓酒，深憑送此生。」有著相同的超脫朗朗心情。

相思好

三月末，黃昏下，濛濛愛河未見霞！
魚肚白，往南向，錯把晚宴午宴當！
春天裡，雨如絲，落花黛玉歸黃土！
三月天，春風吹，拂面迎桃舞春輝！
人在北，心在南，北都多情美少男！
相思衷，蜜陶陶，如入詩中相思好！
雨落嘩，思何人，伊人總在吾心蕊！
在雨中，花飄落，落花伴我我伴花！

二〇一三年四月一日

詩喻　詩是文中最美文，詩人遊高雄愛河，有感人如詩、詩若人、文若詩、詩似文，文心深處總是詩境情懷。

賞析　本詩為詩人春日季節遊高雄愛河有感之作。

全詩以「相思」為題幹鋪排而下，體裁以三言、三言、七言類似以樂府詩體進行創作，思想內容看似平淡，寫黃昏、寫細雨，但卻以「黛玉葬花」形容對彼此的相思，並自喻：即使雨打花落入土，卻堅定心志，我仍是那個願伴花畔的北都美男子。

追遠詞

節令來到清明時，天落甘霖消春暑，
仰望天空飄雨見，口念慎終追遠詞！

永恆春

時節清明雨紛紛，流水年華幾時存，
先人典型在夙昔，德有風骨永恆春！

二〇一三年四月五日

詩喻 兩詞作於清明時節，表達詩人即便在雨天也盡情感受人生每一刻，描繪知足更積極向上的心態。

賞析 〈追遠詞〉、〈永恆春〉皆是透過傳統節日「清明節」，表示願追隨先人典型並慎終追遠的心志。古今歌詠清明的詩句很多，杜牧〈清明〉一詩傳頌最廣，唐韋莊〈長安清明〉：「內官初賜清明火，上相閒分白打錢。紫陌亂嘶紅叱撥，綠楊高映畫鞦韆。遊人記得承平事，暗喜風光似昔年。」通過寫清明的人事物，透露出詩人對過去風華的懷念；不同於韋莊諷刺現今，詩人反而透露出「流水年華」過去，應積極向上，仍須向前人學習的正面態度，也向讀者傳達了清明節在詩人心中的重要意義。

晨光昄

二更夜，風吹起雨落葉，吱喳鳥叫蟲鳴伴吾睡！
三更半，雨若停水蛙畔，撲通一聲悠游上荷瓣！
破曉白，睡蓮醒荷搖擺，清香撲鼻天邊早霞來！
晨光昄，這般遲那般快，遍灑大地青山百花開！

二〇一三年四月十一日

詩喻

風吹雨落和著鳥叫蟲鳴合奏的天籟樂曲，再再使人不想入睡。轉瞬間天空見到早上金霞，大自然又是一片欣欣向榮。〈晨光昄〉以純真的角度感受春天景物，對自然美景有深刻的描寫與體悟。

賞析

人間四月，北半球時序從料峭的春寒中走出來，卻也但進入酷熱的夏季，在古今詩人筆下，是一年中極好的季節。林徽音有詩〈你是人間四月天〉寫春風、春雨、百花等四月之景；白居易〈大林寺桃花〉：「人間四月芳菲盡，山寺桃花始盛開。長恨春歸無覓處，不知轉入此中來。」則寫原以為四月將盡，沒想到在深山寺廟之中，反而可見春天蹤跡。

詩人有感「人間四月天」的美好，創作詩歌，並以三言、六言、九言十分獨特的長短句樂府詩體裁形制抒發情感，寫四月的蟲鳴、蛙叫、美荷、青山、以活潑濃烈的色彩，融合古今優點，在晨光中，擺脫傷春悲秋情緒，開心領略自然的欣欣向榮、璀璨光明。

杜鵑留

入春暖意溫心頭，青山花開陽光柔，
春風迎來春雨落，最深期盼杜鵑留！

二〇一三年四月十二日

詩喻

本詩描繪杜鵑花開春景，同時蘊含著浪漫柔情與謙遜懷情。

賞析

《莊子．知北遊》中寫道：「天地有大美而不言，四時有明法而不議，萬物有成理而不說。」意思是說天地之間有自然大美，四時的交替、萬物榮枯都有一定的秩序，並不會特別言語。詩人則別出心裁，認為當人們感受到大自然的脈動和氣息，蘊含著超能的容量和謙遜美妙的容貌，推動萬物之生生不息且永恆不變，人生輪迴無數四季，有美景也不忍永遠駐足停留，因為這將不再往前行進。

全詩雖然帶有光陰飛逝如矢的感慨，但也是詩人珍惜歲月，人生多情、有序、喜悅的真實寫照。

不同霞

月有亮來星少瑕，心有情在無真假，
同是天涯有緣人，可嘆同星不同霞！

二〇一三年四月十八日

詩喻

〈不同霞〉一詩，點出同一片天空，每顆星星會散發不一樣的光芒，正如人人特色不盡相同，若得遇有緣人便是最美好的緣分。

賞析

本詩為詩人感嘆雖然彼此相隔遠方，可以看到相同的星光明月，月光明亮，即使星星在旁，也不會讓月亮的皎潔有一絲玷污，只要內心有情意，就能看出真實無虛假。但是最後又悲嘆，就算我倆同為有緣人，也因為距離的關係，同樣看著千億年前射出的星光點點，卻還是身不在同地點，身邊每天的晚霞也不同。頗有宋代李之儀〈卜算子〉吟詠之興味：「我住長江頭，君住長江尾；日日思君不見君，共飲長江水。此水幾時休，此恨何時已；只願君心似我心，定不負相思意。」

青山久

簡醇有意是好酒，氣勢磅礡上霄九，
熙明霞光灑滿地，百花盛開青山久！

二〇一三年四月二十日

詩喻

彩色繽紛的世界，有了溫馨芬芳的友情滋潤，最是真心真意、自然自在的感動！友誼更可比擬青山綠水長長久久！

賞析

本詩以亮眼的色彩象徵友誼可以彩繪世界，有了友情的滋潤，彼此間的真心相待，讓普通的酒啜來變成好酒，有一飲而盡的磅礡豪邁，更有早霞遍灑大地的朝氣蓬勃！正如杜甫的〈徒步歸行〉：「人生交契無老少，論交何必先同調。」與朋友交往不必在乎對方的身份地位，或是彼此間的年齡差異，重要的是朋友之間能夠交心；人之相識貴在相知，人之相知，貴在知心。正所謂：「天下快意之事莫若友，快友之事莫若談！」有了這世間珍貴的情誼，就如同百花齊放、青山綠水，長長久久。

八方在

盼逢閒暇也難得，天南地北聊心可，
東西南北四面來，知音難得八方在！

二〇一三年五月三十一日

詩喻

人生知己誠可貴！不論時序、節令更迭，人生最當珍惜的，就是彼此難得的緣分！

曹雪芹《紅樓夢》云：「萬兩黃金容易得，知心一個也難求。」

賞析

隨著時光前進，相知是緣，緣起緣滅，一生好友幸運聚在一起，即便人生難免別離，內心卻是歡欣，因此「天南地北聊心可」，口語白話的表達好友相聚話匣子開啟的愉悅心情，更有「酒逢知己千杯少」的慨嘆，遇到對的人，總是恨不得說盡一生的話，相聚過後，友人又散往四面八方去，但詩人仍維持正面的心境，到處有知音。

宏觀看

宏觀看點銅，嚴謹簽合同，
拿起放下間，獲利是所從！

二〇一三年七月十二日　于加拿大洛磯山脈

詩喻

本詩說明購買原料、接單、判斷最後獲利的市場經營祕訣。

賞析

本詩以五言絕句形式，清晰描繪商場買賣的心路歷程與詭譎變化，雖只有短短二十個字，卻蘊含了商場心理、當機立斷等大量訊息。

首句寫低價買銅，第二句謹慎接單安全為上的原則，第三句簡單五字「拿起放下間」，背後卻是費盡心思地的商業思量、運籌帷幄、市場觀察，最後第四句：「獲利是所從」更可以得知，獲利關鍵便在於第三步的拿起放下是否適合得宜。作者通過詩句短語編排，讓讀者完全可以領悟詩意，產生跌宕激昂的想像。

有愛老

葉翠鮮綠紅桃大，麻雀飛將，青山這邊達。
樹梢絮柳搖若華，海角那裡有芬花。
籬外涼亭籬內噪，籬內佳人，籬外俊男哨。
哨越可聽音越好，無愛常較有愛老。

二〇一三年七月十七日　于SF USA

詩喻

本詩與蘇軾〈蝶戀花〉千年隔唱，讀來有盛夏的熱鬧和男女間俏皮互動和喜愛。

賞析

本詩為詩人與蘇軾〈蝶戀花〉古今唱和。蘇軾原詞作云：「花褪殘紅青杏小。燕子飛時，綠水人家繞。枝上柳綿吹又少。天涯何處無芳草。牆裏鞦韆牆外道。牆外行人，牆裏佳人笑。笑漸不聞聲漸悄。多情卻被無情惱。」

東坡傷春感時，有深情、有纏綿，寫佳人離去的落寞；但詩人卻以「俏皮」的心思另作，把吹口哨輕鬆示愛的方法應用其中，用字頗具奇趣，一掃宋詞溫婉的情緒，反而有元曲文字的通俗自然，也更顯親和的豪放之氣，展現出詩人對現實人生的熱愛。

花雨過

滂沱大雨直直落，重重烏雲層層錯，
花葉紛亂隨風飛，可嘆不歸花雨過。

二〇一三年七月三十一日　于高鐵往返臺北途中

詩喻

本詩以自然現象比喻公司經營管理，狂風驟雨猶如市場競爭，花葉紛飛猶如錯失良機，創造獨特的想像。

賞析

本詩是詩人感應大自然的天候的變化狀況，及花草樹木的風吹草動，用以詮釋組織管理學，是寓情於景的作品。

首兩句「滂沱大雨直直落，重重烏雲層層錯」說明市場、商場雨驟風狂的試煉，公司內部的決策方向曖曖未明，就像是布滿重重烏雲，遮掩眼前的光明。三四句「花葉紛亂隨風飛，可嘆不歸花雨過」，繼續感嘆，商場商機瞬息萬變，若是無法掌握良機，就好比花隨風去，枝葉四處飛離而走。全詩風格悲壯，呈現風雨過後，還是要打起收拾殘局的堅毅心情，短短四句中，讀者也從驚心動魄的心情，轉為平靜。

明月共心田

大步踏上好山崗，山上紫氣真芳香，
最惜善緣億萬年，好若明月共心田。

二〇一三年九月十九日

詩喻

詩人於中秋佳節以〈明月共心田〉詩與公司同仁互勉，珍惜大山夥伴的緣分，期勉大家能夠團結一心，將大山視為自己的家。

賞析

詩人透過藏頭詩「大山最好」的妙喻，勉勵組織同仁能團結一心，向上共好。首二句：點出組織之名：大山二字，是個好山好水、青山綠水的地方，踏上山崗凝聚祥瑞紫氣，是非常好的福地；三四兩句則以佛家思想入詩，所謂「百年修得同船渡」，同仁相會、相識一起共事，實為億萬年前結下的善緣，冥冥之中都有良善的安排。

透過〈明月共心田〉這首詩，詩人以主管身分勉勵同仁，再次團結共好，如眾星拱月般珍惜、愛護這輪明月。

念伊人

中秋過，晚秋中，下弦月色有淡濃。
星光夜，閃爍空，月光東來西淡中。
明月明，稀星樣，恰似濃妝月色亮。
東邊向，和悅笑，話語之中情濃躍。
大小圓，環顧間，一靜一動似雲閒。
落葉飄，秋風瞧，晚秋含冰冬步遙。
相思裡，詩中意，一切盡在不言語。
念伊人，藏心衷，觸動靈犀一點通。

二〇一三年十月十一日　于搭乘高鐵往返臺北途中

詩喻　一路上所遇到形形色色的人，都會留下養分讓我回味無窮。懷念往事，珍惜情誼，感謝所有多情的知心好友。

賞析　中秋到，又是華人團圓相聚之時，詩人特以三言、三言、七言的雜言體古樂府詩歌形式，表達對於人生路上好友的感謝。透過簡短的詩詞，寫出大家心靈相通的感動。全詩真摯感人沒有斧鑿痕跡，可謂真情流露。

百隻麻雀

百隻麻雀竹籬歇，吱喳搖尾望四野，
這般欣賞那自在，真是自然有心愛。

二〇一三年十月十三日　于臺北天母球場

詩喻

麻雀自在地飛翔，反思人生也應包容自己擁有許多姿態，不將生活方式侷限在特定框架裡。天地有大美而不言，萬物皆備於我，境由心造，也能帶給人快樂的時光。

賞析

本詩主題是小小的麻雀，首句以視覺入比，形容麻雀在竹籬旁，吱喳搖尾、東張西望的姿態，比喻人生未必都是鴻鵠、鵬鳥、鳳凰或青鳥，平凡常見的麻雀，牠自然而然的千姿百態好像各種角色的扮演，都可隨心自在，可愛活潑自在飛舞。只要有歡喜心，體會當下因緣，就可以歡喜自在，以歡喜心，想歡喜事，成就歡喜人生。

早定見

且聽之且信之且淡之，成銅也敗銅也非戰罪！
成本上成本下盈虧間，或有效或無效早定見！

二〇一三年十二月十二日

詩喻 本詩描寫經營公司從容豁達的心情，做決定前應做萬全的考量，做決定後便不拘泥於結果。

賞析 本詩以九言題材呈現詩人商場領導之道，每句內又是三言為一組，形成句內對仗的形式。起承轉合筆法明顯，架構清晰，敘事明確，「且聽之且信之且淡之」為「起」句，由組織內同仁的態度破題，後續「成銅也敗銅也非戰罪」為「承」指出銅價與利潤的攻防，如果沒有詳細的指令，失敗可看作非戰之罪，第三句出現文意轉折，「成本上成本下盈虧間」格局拉大到整體成本之盈虧，其實都是早有定見。全詩大開大闔，一氣呵成，字裡行間有指點江山，躊躇滿志的干雲豪氣。

緣字人生

又是坐在老座位，想詩作又回憶著，
窗外景色瞬間過，此刻去即未來歲。
已故景觀何必記，何因得這平淡心，
回頭看去僅記憶，往前望或更多趣。
緣字人生如何歸，如早霞成落日暉，
凡塵世界情何似，日一落星月即追。

二〇一三年十二月十四日　詩作於高鐵往臺北途中

詩喻

過去就讓它過去吧！如意也好，不如意也罷，皆已是往事回憶！人生不應糾結於過往，當專注且保持樂觀地活在當下。

賞析

坐著車，搖晃的窗景，容易引人深思。詩人乘坐高鐵之時，從一個常坐的座位起頭，心有所感，人生風景如車外窗景，過去已成過去，來不及挽回也無法從頭。「何因得這平淡心」，詩人平淡看盡凡間世事，一切都是往事回憶了。其後筆鋒轉為積極，「緣字人生如何歸」，人生更該珍惜的是自然的永恆不變，就像日月星辰般，週而復始的情緣最有意義，早霞雖然立刻接著就是落日，但迎接而來的，就是點點錯落的星光，月光也緊追而上，樂觀的向前展望，必會有更為正面、有趣的未來人生！

也秋波

斗六一別也秋波，咖啡一飲竟是酒，
今日一早好友來，情誼一心如松柏！
何止兩迴杯酒香，只緣兩心共夢想，
咱等兩相真心見，若結兩義金蘭鄉！

二〇一四年一月十六日

詩喻

本詩描寫相聚時的歡樂，深深感受到友情溫馨，更感謝彼此真心對待的好友。

詩人與造訪公司友人再次相見，格外開心。

賞析

首聯寫過去相聚但又別離，頷聯寫今又相逢，與友人堅貞友情就如松柏一般，頸聯歌詠友情如酒香，酒過兩巡，更加深友情的濃度。《周易．繫辭上》有云：「二人同心，其利斷金；同心之言，其嗅如蘭。」詩人引「金蘭之交」典故，比喻朋友間的同心合意、生死與共的情深意重。作品內多使用「一」字，斗六雖「一別」，但「一飲」咖啡，「一早」見好友來，也是「一心」象徵同心相待，接著酒過「兩迴」，與友人共結「兩心」，「兩相」真心坦承見後，「兩義」為金蘭之交，更見情意。全詩風格奇巧，文字藝術造詣極高。

自在禪

佛坐中間左右仙，莊嚴自在禪定天，
本心佛心普羅心，眾生萬物皆是親！

二〇一四年四月二十七日

詩喻

本詩為詩人為好友信惠兄雲岡石佛畫作的題詩作品。以石佛姿態為發想，描寫法相莊嚴與心境的自在安定。

賞析

雲岡石窟、甘肅敦煌的莫高窟與河南洛陽的龍門石窟，並稱為中國三大石窟，其中雲岡石窟最具代表的露天大佛，面容豐滿端莊，呈大日如來吉祥坐禪定印，莊嚴法相但溫和慈祥，呈現出釋迦摩尼對人生社會的沉靜思考狀態。在詩人筆下，用文字描繪出大佛自在禪定、頂天立地、不偏不倚，無所偏頗，憐憫一切眾生乃至萬物，平等無別。

全詩字字入禪，卻無生澀字詞，有著盛唐詩佛王維詩歌之「出世而不離入世」的悠然韻味。

大俠口哨

鐵漢柔情詩作中，大俠口哨南北東，
好馬往返來時路，馬上馬下皆初衷。

二〇一四年五月十四日

詩喻
本詩以文字帶出「荒野大鏢客」豪邁、瀟灑的視覺畫面，展現出鐵漢好友們真摯的感情。

賞析
本詩題名「大俠口哨」著實引讀者會心一笑！前兩句「鐵漢柔情詩作中，大俠口哨南北東」雖是以中國古典詩詞形式書寫，卻營造出美國西部片吹口哨荒野大鏢客的畫面感，反差極為強烈，但西風東成，其中自有和諧、奇趣的畫面。三四句則出現全詩主軸：歌詠友誼，以「好馬往返來時路」象徵即使往返各地奔波，都不忘彼此間友誼的純真，同時也希望每一位好友（大俠），永遠珍惜彼此情誼。全詩極具趣味，不落古詩窠臼，創新中帶有古風古韻。

流水追

明月星空山鳥飛，落花無聲長鳴催，
山鳥孤葉低飛過，風飄花落流水追！

流水追

明月星空飛鳥歸，啊！或倦了，靜待早霞暖陽晨風吹，啊！再飛，
落花無聲山泉催，呀！若謝了，就在水高懸空落水中，呀！成灰，
山鳥枯葉低飛過，喔！似近水，切盼展翅飄浮入雲朵，喔！得果，
風飄花落流水追，唉！終落隨，只見片片花瓣前後水，唉！來歸。

二〇一四年五月十八日

詩喻　本詩題名〈流水追〉，描繪自然景物襯托時間的流逝，詠嘆悠悠如夢人生。

賞析　本詩充滿深沉感慨，在詩人的筆下，過去、現在和未來，是風、是花、是星、是月、是飛鳥或是流水，都有歲月前進的蹤跡和過程，都有歲月催促的老化、老態和凋零。或許鳥倦再飛、星暗再明、落葉入水、花隨流水去都是人生歷程，正如白居易〈自詠〉詩云：「百年隨手過，萬事轉頭空。」在有情歲月中但願奮力向前，飛過再飛、暗了再明，只求盡其在我。本詩詩人撰作有古典與現代兩種版本，兩者合而比觀，讀者可從中體會不同的詩情韻味。

唯一心

奮力再飛氣鼓舞，展翅白雲望遠志，
大小堅挺唯一心，迷人之處在真誠！

二〇一四年五月二十九日　詩作于臺北

詩喻 本詩心境十分積極正向，描寫人當善用自己的精力去發揮、創造，更要真誠對待身邊每一個人。

賞析 明代馮夢龍《警世通言・俞伯牙摔琴謝知音》云：「摔破瑤琴鳳尾寒，子期不在對誰彈？春風滿面皆朋友，欲覓知音難上難。」此詩描述伯牙與鍾子期兩人的知音情誼，笑臉相迎的朋友很多，知心的人卻空谷難求。子期不在，伯牙再也找不到欣賞琴中音韻之人，也沒有彈琴的必要了！

古來音韻的知音者難尋，而懂得詩詞真情真意的知音者更難尋！詩人得遇詩詞知音，特地作詩互勉，並一心真誠，以此堅定、鼓舞了自己的遠大志向。

彩虹衷

蔚藍海岸晴天空，明媚風光彩虹衷，
好似繽紛拱橋在，蒙地卡羅南法通！

二〇一四年六月二十二日

詩喻

本詩描寫地中海風光明媚的景色，將彩虹比喻為橋樑，反映出心中有彩虹，到哪都是最美好的風景。

中國古典詩詞往往書寫的都是中國在地山水風情與文人情懷，但時至今日已為世界地球村，詩人用瑰麗詩詞為工具，書寫西方歐洲的名勝美地。

賞析

本詩以彩虹為題，展現出蔚藍海岸的明媚風光，內心彷彿出現了彩虹般的愉悅，也架設了一座繽紛七彩的摩洛哥和南法情誼之橋。筆法與用語如同林獻堂《環球遊記》這臺灣第一部公開發行的歐美遊記，從詩詞中的押韻與用詞遣字，可以看出其豐富的情感和詩詞藝術的現代化。

擁抱天地

浩瀚大海壯碩山，展翅高飛好讚歎，
數以萬計大鵬鳥，擁抱天地日月寬！

二〇一四年七月六日

詩喻

本詩題名〈擁抱天地〉，詩人將自己化成一隻翱翔的鳥，看見純粹有力量的大自然景色，高歌讚嘆天地的無垠寬廣。

賞析

人生就像大鵬鳥展翅高飛般，詩人此喻可比李白〈上李邕〉詩：「大鵬一日同風起，扶搖直上九萬里。假令風歇時下來，猶能簸卻滄溟水。世人見我恆殊調，聞餘大言皆冷笑。宣父猶能畏後生，丈夫未可輕年少。」大鵬乘風翱翔，憑藉風力直上九霄雲外。即使風停了，大鵬飛下來，還能揚起江海裡的水。詩人以浩渺天宇為背景的大鵬鳥起飛，震撼展翅的巨大威猛，無所羈絆，文句間淋漓盡致的展現詩人遠大抱負，及追求擁抱日月而海闊天空的理想。

多行善

福自前世修，智是今生果，
福智多行善，修得來世佛！

二〇一四年七月十四日　祝法相歡喜！

詩喻

鬆柔可以生智慧，要讓善的意念長存在心中，努力修行不懈。

賞析

全詩以「分」、「合」、「總」的結構，勸世「多行善」。

首兩句「福自前世修，智是今生果」分述了人先天可得福氣，與後天可修智慧的境界；有福氣者是前世修來，但是智慧卻是我們今生可以透過努力累積得到的結果，但如果想要「福智俱有」，就是多行善，且行善是一種「選擇」，亦是最好的養生；第三句合併了福智的結果，總結歸納修行不懈，來世就可得道成佛。全詩透過完整穩固的結構，精煉的語言表現及豐富的情致，闡述多行善的益處，意味渾厚深長。

心誠

婆娑的人生，緣淺也緣深，
相見就是好，相惜又相疼！
緣淺乃友情，朝夕來相處，
緣深是感情，原來在心誠！

二〇一四年七月十六日　詩作于USA

詩喻　緣淺緣深都是婆娑人生的現象，一切禪定心喜！人與人之間情感，從為彼此付出開始就變得更深刻！

賞析　本詩以「心誠」為題，以嶄新的視角，寫出緣分在云云人生中無法輕易掌握，只要一切禪定就會心喜，不須刻意強求。金菩提宗師曾以大約形象來呈現「禪」的境界，即是一個人內含著清淨自然中所深含的力量和韻味，包含著容納、蘊含、充實、自在、返璞歸真、不顯露、不張揚。而在詩人眼中，不論緣深緣淺，只是程度不同而已，正所謂「得之我幸、不得我命」，真誠表達自己對於感情的態度，也透露出一種自在豁達的人生觀。

本多情

交錯雨風幾度揚，長城巨龍萬里昂，
吾本多情幾酹問，淚灑大地萬杯強！

二〇一四年七月二十四日　詩作于高鐵往臺中

詩喻

阻礙在前就要迎刃而解，責任重大時更不可妄自菲薄。字裡行間展現了詩人不屈不撓的精神與激昂滂薄的氣勢。

賞析

本詩頗有唐人邊塞詩詩風悲壯、格調雄渾的盛唐氣象。詩人以「本多情」為題，自喻責任重大，如長城巨龍般蟠護著家園山河，雖說風吹雨打，幾番橫逆當前，無損詩人心中激盪的高昂情義，即使慷慨落淚也不失英雄本色。

本詩氣勢正如王昌齡千古名作〈出塞〉：「秦時明月漢時關，萬里長征人未還；但使龍城飛將在，不教胡馬度陰山。」同時也可與知名現代詩人席慕容〈出塞曲〉「英雄騎馬壯，騎馬榮歸故鄉」相呼應。

夜有禪

月盈星空好，夜有禪意在，
蟬音天籟澆，灑遍秋香帶！

二〇一四年九月六日　祝中秋節快樂

詩喻

中秋佳節月光、星光、及蟬鳴蟲叫，澆灌出天籟般的美妙，祝福友人並共同分享秋香景致。

賞析

本詩在中秋時節創作，並廣發親友，希望各方好友即使身在不同地點，仍然能「千里共嬋娟」，在月光、星光、蟬鳴自上澆灌而下，深深感受秋天帶來的禪意。首句寫月光遍灑的視覺感受，詩人心中有禪，夜晚也有禪意，第三句轉為聽覺，意境由時虛轉實，「禪」轉成「蟬」，心中有禪意、耳中聆聽蟬鳴，內外渾然相輔相成。

心自在

聽著海邊浪濤聲，心浪自在高低乘，
又擁伊人細傾訴，夫復何求此人生！

二〇一四年十月十一日　詩作于天母

詩喻

心愛的讓我們共賞美景，心愛的讓我們共享美食，心愛的讓我們共同患難，心愛的這人生夫復何求！本詩傳達與愛人間平淡且知足的真摯情感。

賞析

愛情、親情、友情，對國家社會之情，是詩人永遠不朽的詩歌題材。這些內容從遙遠的古代直到今天，都是詩人筆下書寫的對象，像是《詩經》中有含蓄的「所謂伊人，在水一方」，也有真切的「執子之手，與子偕老」以及溫婉的「去年今日此門中，人面桃花相映紅」，詩人在海邊與伴侶共賞美景，將海面波濤比喻人生，人生像是海面上的波浪，高低起伏不定，有時驚濤駭浪，有時平靜無波，有時晴雨交替，有時風雲變色，但只要身邊伊人為伴，共患難、共分享，波濤都能化為平淡細流。

全詩聽覺感官極強，且對照性強，「海邊浪濤聲」也無法掩蓋耳邊傾訴，更顯伴侶間的真摯情感。

好涼秋

當時天籟灑秋香，從此以來好楓想，
楓紅最美終落盡，人生幾度有秋涼！

二〇一四年十月十四日

詩喻

〈好涼秋〉一詩表達對秋天景物、氣候的感觸，再美的楓葉都會凋零，猶如生命遇見秋天也是短暫的一剎那。

賞析

「好涼秋」，令人聯想到宋朝知名詩人辛棄疾所寫的〈醜奴兒〉詞：「欲說還休，欲說還休，卻道天涼好個秋」，作者胸中的憂愁是憂傷時局之愁，但在當時所處的環境，作者不便直說，只得婉轉敘說季節「天涼好個秋」。而這首詩純粹描繪秋天景色，自然界灑下了漫天的秋日氣息，此時楓紅染遍了山頭，但在最美的時候，楓葉終須落葉歸根，就如人生走到巔峰時，也將如楓葉停落般歸於平靜，詩人由此感喟人生能經歷多少個秋涼呢？這與「青山依舊在，幾度夕陽紅」同樣的意味無窮，讀來不禁令人感慨萬千！

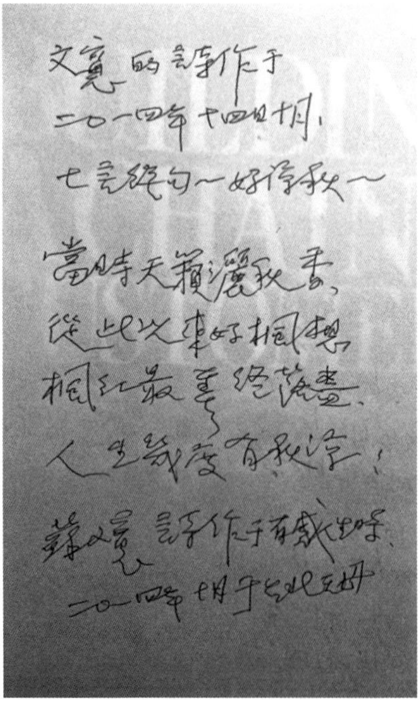

文寬的詩作于
七言絕句～好涼秋～
當時天籟灑秋香，
從此以來好楓想
楓紅最美終落盡，
人生幾度有秋涼！

鳴在青山

幽情古徑兩傍青，谷中吱喳蟲鳴醒，
鳴在青山翠谷裡，醒自雲風天際空！

二〇一四年十二月一日　詩作于草嶺幽情谷

詩喻

本詩描寫雲林幽情谷散步途中的蟲鳴與美景，暫別煩擾俗世，優遊自在的享受大自然。

賞析

作者漫步於山中幽徑，沿途草木蓊鬱，鳥叫蟲鳴、流水潺潺，「耳不暇聞，目不暇接」，美不勝收，令人心曠神怡！徜徉於此綠山翠谷之中，此時詩人墨客覽物之情不禁油然而生。作者從鳥叫蟲鳴的吱喳聲中，領悟到各行各業百花齊放、在同樣的環境中各展身手，但「醒自雲風天際空」，隱喻著人生總是從絢麗燦爛、波瀾壯闊中最後趨於「雲淡風清」。這首「鳴在青山」，描繪出一幅人與大自然相知相容的恬淡情境！

吾知惜友

緣分早就註定來，吾知惜友又情懷，
仰望星空半天邊，未見明月把心改！

二〇一四年十二月七日

詩喻

我心一如明月，珍惜友情之初心始終不會有改變！本詩表達重視緣分與好友間堅定不移的情誼。

賞析

「有緣千里來相會、無緣對面不相識。」有緣分的人，即使相隔千山萬水也會相聚在一起；無緣分的人，即使迎面走來也不會相識，雖然有所謂的「萍水相逢」，但卻「盡是他鄉之客」。因此，有緣分聚在一起的人，不論是親子、夫妻、朋友之間等所謂的親情、愛情、友情都是早就註定好的，但應加以珍惜，一旦緣分盡了，想要再相聚也不可能了。詩人有感於此，興起了惜情、惜友的情懷；於夜間仰望滿天星斗，一輪明月高掛，想起了「我本將心向明月，奈何明月照溝渠」這首詩，但其珍惜友情之初衷始終不會有所改變！

盆栽

小品寫作，好似盆栽，
澆水幾滴，枝葉潤開！

二〇一四年十二月十八日

詩喻

寫作猶如在盆栽裡栽培青苗，每天寫幾行句子猶如每天澆灌幾滴水，經過時間的積累，文筆就會像開枝散葉般有所成長。

賞析

「一沙一世界，剎那即永恆」，從一粒沙中看到一世界，在剎那間可經歷到永恆。小品寫作也是一樣，雖不如長篇大作，但感動人心的小品與巨著寫作毫無遜色，一如盆栽，在開枝散葉後，與神木的世界不一不二。以神木與盆栽的強烈對比，「神木凌蒼天，綠植在手心。一木一境界，一盆一天地」。聳入天際的神木令人敬畏，不易親近；而盆栽則可捧在手心，可愛可親，詩人因而領略：神木雖大，時而與天爭高；盆栽世界，卻向來謙和為懷，幾滴水澆，普天下安好自在！

梅來喜意

春花臘梅來喜意，月給日笑好朝氣，
紛飛瑞雪星光歡，遍灑大地瓦上玉！

二〇一五年一月十日　詩作于高鐵上

詩喻

本詩題名〈梅來喜意〉，形容春天捎來好消息，並將此深深祝福分享友人。

賞析

臘梅花開喜迎春，每年如約而至的芬芳，報知人們舊歲將去，新的一年即將到來。觀賞梅花，每每令騷人墨客詩興大發，吟詩作對，因為梅花總是予人正面的思維與洋溢著喜氣，正如唐代黃檗禪師〈上堂開示頌〉：「不經一番寒徹骨，怎得梅花撲鼻香。」的勵志詩句，以及宋代盧梅坡〈雪梅〉詩：「有梅無雪不精神，有雪無詩俗了人。日暮詩成天又雪，與梅並作十分春」。詩人在這首詩作中亦流露出對梅花的喜愛，認為臘梅是喜意、是朝氣、是瓦上玉，白天瑞雪紛飛，夜晚星光燦爛，正為新年添加了歡樂和無窮朝氣，也代表著一切平安，順心如意。

魚何究

苦樂之間忙中閒，禪定就在苦樂間，
苦中作樂樂其樂，樂中有苦樂其苦！
人生青山綠水遊，得失高低起伏秀，
苦樂得失何所似？如水清濁魚何究！

二〇一五年二月十五日

詩喻

人生苦樂多少自有定數，凡事盡其在我。就如魚兒，水的好壞清濁，它一樣悠游快樂，這就是「自在」、「禪定」的心！

賞析

佛教說人生有八苦：生苦、老苦、病苦、死苦、愛別離苦、怨僧會苦、求不得苦及五陰熾盛苦，可知人生苦多樂少，因此，開始學佛修行，讓自已能「離苦得樂」，甚至脫離輪迴之苦。不過這首詩並不強調於如何才可「離苦得樂」，而是在苦中作樂，且樂其苦，不在乎苦樂得失，「他強由他強，清風拂山崗」，就如魚兒對於水的好壞清濁並不在乎，一樣悠游快樂！詩人認為人生苦樂多少，自有定數，盡其在我就好，凡事只要起心動念寬廣皆是善！

潑墨山水

迎來早曦白金空，箱根雪若北國冬，
蒼松烏鷹飛鴉雪，驚若潑墨山水工！

二〇一五年二月十八日

詩喻

將眼前美景與潑墨山水畫做聯想，說明創作與大自然一樣都能感動人心。

賞析

箱根位於日本西南部，附近有山頭終年白雪皚皚的富士山，一到冬天時節，大雪紛飛的景象，充滿北國的寒冬風情詩意。

詩人在這首詩中，以白色與黑色的強烈對照，描繪雪景的視覺效果十足，令人印象深刻：在早曦如白金的天空下，蒼松、烏鷹、飛鴉、白雪的黑白對照勾勒箱根的雪景，宛如張大千大師這般幾近巧奪天工的潑墨山水畫作！創作與大自然一樣的諧和，一樣都能撼動人心！

信弓飛來

天空仍然細雨落，三月小雨不寂寞，
梅謝杜鵑花開來，信弓飛來幾度多！

二〇一五年三月二十五日

詩喻

好友信件於三月細雨中不斷飛來，怎會寂寞？

賞析

三月是煙雨綿綿的季節，也是思念故人的季節。在這季節裡，梅花才謝了春紅，匆匆地又有杜鵑花來陪伴，詩人怎會寂寞？杜鵑花每到春天就開得燦爛嬌媚，多麼療癒！看到杜鵑花，也會讓人輕輕哼起：「淡淡的三月天，杜鵑花開在山坡上，杜鵑花開在小溪畔，多美麗啊……」詩人怎會寂寞？而且在這細雨輕雷驚蟄後的季節，好友問候的信件紛至沓來，讓詩人惜緣又感恩，又怎會寂寞？

本詩處處可見詩人的心不被紛飛的細雨等外境所困，適時轉境欣賞花開花落，感恩好友的關懷！

舞東風

邀明月敘衷，與君星辰共，
飲盡杯中酒，行拳舞東風！

二〇一五年四月二十四日

詩喻

世界很大，人生很長！知心能有幾人？此生能得三五知心好友，就是上天安排的善緣！

賞析

「邀明月敘衷，與君星辰共」所表達的情感，可與李白〈月下獨酌〉「舉杯邀明月，對影成三人」，以及蘇東坡〈前赤壁賦〉所寫「挾飛仙以遨遊，抱明月而長終」合觀，都是詩人們表示曠達、樂觀，追求心靈自由的心胸。詩人除了邀明月、星辰共盡杯中酒、珍惜三五知心好友，又從中體悟到：穹蒼之下，萬相共存，諸般善緣皆由天定，實當珍惜感恩！

一小啜

妙語可連珠，杜康多飲故，
只飲一小啜，心醉樂與苦！

二〇一五年十月三十一日　詩作于臺北

詩喻

此詩題名〈一小啜〉，娓娓道出黃湯淺酌後詩人浪漫多情與赤子之心的直率。

賞析

詩是美酒譜的曲，詩人多飲助興，可謂妙語連珠，恣意抒懷！王羲之的〈蘭亭集序〉是在他酒意正濃時，提筆暢意揮毫所一氣呵成的序文。第二天酒醒後，他意猶未盡，重寫了幾遍，但仍不如原文精妙。由此可知，幫助書聖酣暢淋漓地揮毫成就「天下第一行書」的，杜康實在功不可沒。而詩人在這首詩作中顯示出他只飲一小啜，即可「心醉樂與苦」，寄情詩文，以述情懷，也可見其「大人者不失其赤子之心」的坦率多情！

曦山山緣

月落星沈早曦見，日出夜走煙雲間，
一如未識也相識，雲煙早曦山山緣！

二〇一六年一月一日

詩喻

天地萬物、日月星辰與普羅眾生，緣分在冥冥中都早已注定，好好惜緣惜福才是此生的重要意義。

賞析

月落星沉，大地初現曙光，在這日出與夜間時分，詩人漫步在煙雲瀰漫之間，深刻體悟到這日月星辰、山河大地、天地萬物，或早曦、彩霞、山巒、百花、綠葉、鳥叫、蟲鳴及普羅眾生，未識也一如相識，也正如《三藏法數》所說：「不二不異，名曰一如，即真如之理也。」以及《文殊般若經》所說：「不思議佛法，等無分別，皆乘一如，成最正覺。」吾人應當珍惜與看重彼此的緣分。

冬晴方寸

含情脈脈赤崁樓，早出還是莊稼多，
寒空冬晴方寸間，最是晚歸早出否？

二〇一六年二月三日

詩喻

詩人於寒冷的天氣中仍保持正常作息與打拳習慣，以此映襯出農家的苦與樂，展現不屈不撓的意志力與生命力。

賞析

臺灣早年的農村型態，農夫日出而作，日入而息，可謂「汗滴禾下土，粒粒皆辛苦」，尤其是在寒冷的冬天，更加備極辛勞，一如鄭板橋在其〈四時田家苦樂歌〉所云：「夜月荷鋤村吠犬，晨星叱犢山沉霧」將農家的苦與樂描繪得淋漓盡致。

在這首詩中，詩人將赤崁樓擬人化，含情脈脈地注視著在寒空冬晴的天候中，早出晚歸的老農。詩人由具有堅強意志和決心、步履結實的老農，轉而思念起精神尤勝於老農的老友，寒空晴冬方寸間，思念之情溢於言表。

三豐祖師

拳路尤較文詞難，莫測試探高深寒，
三豐祖師若達摩，一葉扁舟海天藍！

二〇一六年二月二十三日

詩喻 本詩向道家張三豐、禪宗達摩兩位大宗師致敬，點出了打拳與詩詞創作高深奧妙的心態。

賞析 相傳張三豐為武當開山祖師，他將《易經》和《道德經》的精髓與武術巧妙地融為一體，創造出太極拳等武當武術，其功法博大精深、浩如煙海深不可測，詩人因而認為較之詩詞還要難以學習。至於達摩祖師則是少林最高深武功的創始者，如傳授易筋經等，二人各為武當與少林的宗師級人物，末句詩人以「一葉扁舟海天藍」比喻海闊天空，不禁令人聯想到東坡〈前赤壁賦〉所形容「縱一葦之所如，凌萬頃之茫然」浩瀚煙波的壯觀場景。

穩把心找

一番自覺多情好，兩小無猜把心陶，

三點若是一平面，四平八穩把心找！

二〇一六年三月三十一日

詩喻

本詩分享以武會友的心情，表達珍惜同好與打拳練習心智定性，就能找回內心的清明穩定。

賞析

這首出現一、二、三、四的藏頭詩，呈現出詩人學習太極拳的心法步驟。練拳最重要的是要先練心，內在的心若平穩了，就可練好拳腳。因此，首先要放鬆、放空頭腦，保持好心情。第二，和友人相互學習、觀摩，以武會友藉以陶冶真性情。第三，「三點若是一平面，其基石在腳」習練武術向來非常重視腿功，雙腿是練拳時穩定的基礎，俗語說的好：「手是兩扇門，全憑腿贏人。」最後搭配吐納調息，回到四平八穩的內心。

朵朵白雲

一片翠綠青山在，朵朵白雲似在懷，
婉蜒小道出村外，循登山峰坐看台！

二〇一六年七月二日

詩喻

本詩以白雲奇景作為發想，任何心境、任何角度欣賞都充滿了無窮的想像力。

賞析

一般人經蜿蜒的小路走出村外，再拾級而上登上山峰，坐在看台上，遠眺一片翠綠青山，朵朵白雲飄浮其間，大概只會說：「好漂亮的風景！」但詩人眼見此情此景，卻興起了：可為關懷國家大事的情懷、攀登高峰的偉大壯志、君臨天下民胞物與之愛、遷客騷人的失落愁悵、懷念青梅竹馬的感動、景物依舊人事全非的慨嘆、頓時禪悟看破人生的豁達……諸多體悟。一樣的景色，卻有截然不同的感受，這就是詩人之所以成為詩人的緣故吧！

這首詩也讓人聯想到南宋詩宗楊萬里〈桂源鋪〉：「萬山不許一溪奔，攔得溪聲日夜喧，到得前頭山腳盡，堂堂溪水出前村。」氣勢的不凡感受。

隨牛筆耕

隨牛筆耕心中田，方知財富歸人賢，
萬千辛苦本應該，財從用心勤儉來！

二〇一六年八月五日

詩喻

本詩與友人分享勤奮與刻苦耐勞之生活體悟。

賞析

臺灣俗語說：「要做牛嘸驚無犁通拖。」比喻為人只要不怕吃苦，盡力勤幹，定有工作機會，遲早會有出人頭地的一天。在中華文化中，牛是勤奮、肯吃苦的象徵，古往今來，詩人詠之、畫家繪之、雕刻家塑之。此首詩勉勵大家如牛奮進努力，天道酬勤。晉朝陶淵明〈移居〉詩云：「衣食當須紀，力耕不吾欺。」人的衣食須要自己付出努力，勤勞躬耕的生活，一日不閒地耕耘，才有收穫。而詩人所吟詠的牛與田並非實際的牛兒耕田，而是以筆耕心中田，才能方知財富歸人賢，應如牛般千辛萬苦，財富自然能從用心勤儉累積而來！

更若五秋

白露入秋也愜意，久違楓紅或思君，
一日如是三秋計，不見更若五秋離！

二〇一六年九月八日

詩喻

入秋時楓葉轉紅，象徵著時光流逝，「思君雖是偶時有，永遠惜緣惜君久！」將此詩分享給許久未見的友人，表達想念的情感。

賞析

時序進入白露節氣，是個令人感到舒適愜意的季節，更是個思念的季節。《詩經・采葛》：「一日不見，如三秋兮。一日不見，如三歲兮」表示出對情人的思念之情。而詩人以豈止三秋，更應以五秋來計算，也就是說，一日不見，更如已經五年未見面了，流露出思念的殷切之情。

有關「白露」的秋思詩詞，唐朝詩聖杜甫〈月夜憶舍弟〉：「戍鼓斷人行，邊秋一雁聲。露從今夜白，月是故鄉明」最為膾炙人口，可見不論古今，秋天真的是個思念親人、友人、情人的季節啊！

荷瓣上

早蛙清新叫，前蹼若揮搖，
抖擻荷瓣上，問安婆娑早！

二〇一六年九月八日

詩喻

藉由青蛙、荷花與陽光表達萬物皆有靈的觀念，每日早晨朝氣彭湃，衷心感謝大自然的給予。

賞析

詩人在早晨看到荷瓣上的青蛙清新地叫著，代表著朝氣蓬勃一天的開始！蛙鳴有如田野間的交響樂，此起彼落，交織著天籟美聲，任你千百遍傾聽，也都不會生厭。

自古以來不少文人墨客對蛙鳴也都情有獨鍾，留下了許多膾炙人口的詠蛙詩詞，如宋代詩人趙師秀的〈約客〉詩：「黃梅時節家家雨，青草池塘處處蛙。有約不來過夜半，閒敲棋子落燈花。」當眾蛙齊鳴時，據說就像在求雨一樣，有時也果真會下起大雨，印證了詩人所謂的「早蛙代表萬物生靈」。看著牠精神抖擻地蹲在荷瓣上，前蹼揮動之姿恰與旭日朝陽同步，這畫面多麼溫馨有趣！

厚酒飲盡

類別不少菜色多，英雄好漢聚一桌，
菜肴醇酒美食在，厚酒飲盡情義載！

二〇一六年九月十九日　于斗六聖泰旻泰式餐廳

詩喻

本詩描寫與友人共品佳餚美食後，傳遞手寫詩詞，流露真摯溫暖情感。

賞析

本首詩作係詩人與友人斗六聖泰旻泰式餐廳敘舊聚餐後所作。詩作描寫澎拜的佳餚美食擺滿桌，與各路的英雄好漢共聚一堂，在醇酒的助興下，豪氣萬千地一飲而盡！詩人宴飲好友，勸人「杯底毋通飼金魚」，瀟灑豪邁很阿莎力地乾下這一杯！如此「厚酒飲盡情義載」的場景，令人聯想到詩仙李白千古佳作〈將進酒〉：「人生得意須盡歡，莫使金樽空對月。天生我材必有用，千金散盡還復來。烹羊宰牛且為樂，會須一飲三百杯。岑夫子，丹丘生，將進酒，杯莫停……。」

欲聊天

事業成就有大小，靈感捕捉欲聊天，
只是自然文思到，無他意涵寓其間！

二〇一六年十月二十八日

詩喻

詩詞歌賦已是詩人日常生活中隨筆，是極其自然的靈感捕捉和文藻的欣賞！就在無意、看似簡單的話語間，也能捕捉到饒富趣味的詩意。

賞析

擁有傑出企業家、詩詞作家、書法家和太極拳大師四大內涵的詩人，從事業成就的大小中捕捉靈感，文思自然泉湧，詩賦吟詠已成為他生活中的即興隨筆，因而「下筆如有神」，在這首〈欲聊天〉詩中表露出不藏私，願與人聊天、盡情分享的心情。

詩人自認是個中肯也忠懇的人，只是自己小小的興趣，就與沖沖的要分享，總是不吝惜把自己擁有的、感動的事物分享給別人，由此可知成功者絕非偶然。

雪飄寬心

入冬初四是小寒，早晚加著暖心丹，
愈夜月冷星光弱，白白雪飄寬心坎！

二〇一六年十一月九日

詩喻

本詩描寫入冬後的景色變換與心境改變，寒冷天氣中仍有朋友打氣溫暖彼此。

賞析

在農曆的二十四節氣中，冬季的六個節氣分別是立冬、小雪、大雪、冬至、小寒、大寒，其中小寒大約在每年的一月五~七日之間。由於北方冷空氣不斷南下，一般情況下，氣溫有「小寒勝大寒」之講法，開始進入寒冷的天氣，早晚需要多添加衣物。「入冬初寒細雨飄，早晚濕冷落葉到」小寒這一天的晚上，愈夜愈覺涼，詩人在這冰天雪地的天氣裡，幸遇友人噓寒問暖，讓詩人深深感動於友人的情義相挺，因而寬心不已。

金風送爽

金風送爽因緣足，萬事皆備東風除，
日有好景美妙事，也待逢運得機時！

二〇一六年十二月二十三日

詩喻

本詩描寫凡事盡力做好，剩下的就留給命運，「東風」的到來也是需要機緣的。

賞析

「萬事俱備，只欠東風」這個膾炙人口的典故出自《三國演義》第四十九回「七星壇諸葛祭風；三江口周瑜縱火」，故事原意是周瑜打算火攻曹操連鎖大軍，已做好了一切準備，但忽然想起若不吹起東風就無法制勝克敵，此後就以此來比喻一切準備工作都做好了，只差最後一個重要條件（東風）就能達成目標。

本詩以「金風」與「東風」對比，金風原指秋風，此處比喻涼爽的秋風吹來，意味秋天腳步近了，在這豐收的季節，雖然萬事已因緣俱足，但仍欠「東風」，而詩人以「東風」比喻「逢運得機」，認為現在「天時地利人和」皆備下，但仍需要有策略、戰術、努力、控管及願景等重要條件（東風），才能有好景美妙事物的到來！

元宵

前天正月十四日，夜來寒流冷入骨，
好友古都爐邊聚，忘卻天冰地凍時！
寒風冷流無星空，夜深伴霜瓦上凍，
詠賦詩歌迎元宵，再啖湯圓歲增曉！
幾杯黃湯進下肚，溫喉熱腸真心露，
天南地北知音聚，酒進千杯情義足！

二〇一七年二月十一日

詩喻

「酒進千杯」諧音喻意「酒盡謙卑」，此詩與友朋分享，表達珍惜在寒冷天氣裡相聚的美好時光。

賞析

詩人以「寒流、天冰地凍、伴霜瓦上凍、寒風冷流」的寒冷，與「爐邊、湯圓、黃湯、溫喉熱腸」的溫暖形成強烈對比，予人印象深刻。

在這般寒風刺骨、星夜無光的元宵夜晚，好友知音圍在爐邊啖湯圓、喝黃湯、詠賦詩歌，「酒進千杯情義足」，此情景不禁讓人想起宋朝歐陽修所寫的〈遙思故人〉詩：「酒逢知己千杯少。」的確，在人生的旅途中，「真情難遇，知音難尋」，有幸遇到知音，更須不醉不歸。「好友情義濃，古都來共聚，一生一世中，終將千杯逢！」就是詩人此刻心情最佳寫照！

杜鵑惜

元宵已過一日多，正月所剩幾日久？
一幌之間臘梅去，淡淡三月杜鵑惜！

二〇一七年二月十二日

詩喻

人生歲月如臘梅終將飛逝而過！真誠珍惜，與萬事萬物兼容並蓄！

賞析

農曆元宵節過後，正月就已過半了。詩人感嘆時間飛逝，望向窗外，在綿綿春雨中，青山翠綠如昔，點點愁緒上心頭，於是寫詩詠嘆。人生如臘梅般終將飛逝，陶淵明詩云：「悟已往之不諫，知來者之可追」，因而每一分每一秒都要真誠珍惜杜鵑。

詩人以臘梅與杜鵑喻友人，流露出懷念故人更要珍惜來者的摯情胸懷，勤美璞真的與天地日月星辰及大地萬事萬物兼容並蓄！

好漢酒來

風雅詩詞真心頌，舉杯邀月一飲共，
自古英雄留其名，好漢酒來情義忠。

二〇一七年二月二十一日

詩喻

本詩題名〈好漢酒來〉，將此詩與肝膽相照的老友分享，深情地表達感謝。

賞析

詩人在晚間小酌微醺，有感與好友同是英雄互惜、肝膽相照，於是賦詩風雅，寄情於詩作。「舉杯邀月一飲共」、「自古英雄留其名」，分別引申自李白經典詩作〈月下獨酌〉：「舉杯邀明月，對影成三人」與〈將進酒〉：「古來聖賢皆寂寞，唯有飲者留其名」，由於獨酌易醉，於是舉杯邀明月一同共飲；而古來的聖賢無不感到孤獨寂寞，唯有寄情於美酒的人才能名留千古。自古以來，酒能令人詩興大發、酒能見真情、酒還能吐真言……且看柳永的「今宵酒醒何處？楊柳岸，曉風殘月」，是多麼瀟灑又唯美的畫面！

婆娑有情

昨晨和君晤，話匣有歌賦，
好緣終將會，婆娑有情時！

二〇一七年三月十日

詩喻

「人生在世善緣的人終將相逢，愈是晚到的善緣，愈當珍惜！」詩人以慈母諄諄教誨與友人分享，分外珍視每一段緣分。

賞析

詩人與友人首次晤面就一見如故，話匣子一打開就聊及詩詞歌賦，「人身難得，佛法難聞，善知識難遇」，而且「相逢自是有緣，相聚何不惜緣」，這一輩子得遇到善知、善識是累世修來的福分，更要惜緣、惜福。只要有緣，就是隔著千山萬水，也會千里來相會，正如詩人高齡母親所說的：在這有情的娑婆世界，有善緣的人終將相逢！

明月亦杯醉

人生難得幾回醉，與君共醉其一回，
明月亦杯醉陶然，再邀咱倆影三人！

二〇一七年三月十一日

詩喻
本詩描寫與朋友歡聚，難得沉醉在美酒之中，同飲共歡。

賞析
詩人嘗云：「人生不過幾杯酒醉中！醉吧！跟好友知己和明月共醉，人生夫復何求，豈不快哉！豈不快哉！」作者實為性情中人，更是瀟灑浪漫的詩人。由此詩文當可遙想當時晚宴情景：在酒酣耳熱之際，仰而賦詩並唱起鄧麗君的經典歌曲：「人生難得幾回醉，不歡更何待（何日君再來）」與知己醉擁明月，攜手清風，多麼地灑脫豪邁！

細如心語

雨下快慢有旋律，或大似細如心語，
撐起可愛小雨傘，漫步雨中詩意裡！

二〇一七年六月十五日

詩喻　本詩巧妙連結心境和雨境，呈現詩人浪漫、縝密的情景觀察。

賞析　這首詩馬上令人聯想起經典台語老歌〈一支小雨傘〉所描繪的情景：「咱二人做陣舉著一支小雨傘，雨越大，我來照顧你，你來照顧我……」立刻浮現出一幅富有詩情畫意的生動畫面：情侶同撐著一把可愛的小雨傘，在雨中互相偎依漫步，雨時大時小，一陣一陣灑下來，或大似細有如心語。靜靜地欣賞、聆聽，詩意雨聲合為同旋共美的自然韻律！

動象卦念

高速行，景觀逝，目不暇接未來景！動！
方迎前，怎準備，薄冰深淵八向面！象！
思此刻，窗內外，內有當下外有快！卦！
莫忘了，初衷懷，一本初心情永在！念！

二〇一七年六月十六日

詩喻

時代的演進中，當下最重要！小從個人、家庭、學校、社會、國家，大至國際、世界、寰宇，發展方向都當本著初心不變的信念和情感，兢兢業業經營努力！

賞析

在這首詩中，詩人將人生旅途比喻成一部高速行駛的車子，以車窗內外景物、當下心情等過去、現在和未來不斷錯綜演化，構成了這首節奏明快的「情境詩作」。

車窗外，景物迎面而來，又快速不停地向後飛逝；未來渺渺茫茫，必須「戰戰兢兢，如臨深淵，如履薄冰」，而最重要的就是要活在當下，渾然忘我地全然投入，並且莫忘初衷。

也想西昇

璀璨夕陽好，黃昏不見老，
星月那天空，也想西昇到！

二〇一七年六月二十四日

詩喻

本詩描寫天空景色的變換，黃昏落下時，也將迎接星空的美好，歌頌夕陽，同時期待黑夜降臨。

賞析

「夕陽無限好，只是近黃昏」出自唐代李商隱經典詩作〈登樂遊原〉，意思是雖然夕陽餘暉映照，晚霞滿天的美麗景色，可惜已接近黃昏時刻，美好的景色即將消逝。而詩人則更進一步引申發揮，由於夕陽的景色太迷人了，在晚上才會出現的星月趕著從西邊昇上來，和夕陽共同一起美麗。此詩將星辰月娘擬人化，就如同蘇東坡的〈飲湖上初晴後雨〉將「西湖比西子」，以西施來烘托西湖的天生麗質和迷人神韻，這首詩則以星辰明月來烘托夕陽的璀璨動人。

If the red of the Phoenix is as red as the maple in the fall.
If the summer heat is as cool as the spring wind.
How many times do the seasons change in a lifetime to feel the spring breeze in the winter's coziness in the fall.
The season's life is consistent yet changes ever so offen.
This is life.

人生幾度

鳳凰若有秋楓紅，炎夏涼在春風柔，
人生幾度季節轉，夏有涼風秋有冬！

二〇一七年七月八日

詩喻

人生轉折有如四季更換，時而炎夏有春意，時而秋涼感冬氣，轉折變化中有詩情畫意，也有高潮迭起的精彩！

賞析

這首詩以四季氣候轉換描繪人生季節的更迭，鳳凰紅色有如秋天的楓紅、炎夏吹來的涼風有如沐在春風中、秋天天高氣爽，令人感覺到冬天的腳步近了，而人生能有幾個季節轉換呢？

詩人進一步認為在季節轉換之中，恰如新舊體制傳承、運轉，在正的能量驅動下，卦象自然大器的有序，有容乃大，順理成章！此即《易經‧繫辭傳》所云：「剛柔相摩，八卦相盪。鼓之以雷霆，潤之以風雨，日月運行，一寒一暑」陰陽相摩相盪而成的六十四卦，象徵著亙古宇宙法則與自然界的偉大。

一朵紅花

一朵紅花綻芬芳，紅心喜得開朗放，
一條綠根接鄉土，彩蝶自來品清香！

二〇一七年七月二十五日

詩喻

藉由觀察紅花綻放與土地相接的景況，於平淡書寫中抒發輕鬆與充滿寓意的情感。

賞析

本詩以一朵紅花與彩蝶構成了蝴蝶在盛開花卉間飛舞的生動畫面，但重點在於「花若盛開，蝴蝶自來」，花卉若盛開怒放，就會吸引蝴蝶自己飛來採集花蜜。由此可引申出「人若精彩，天自安排」，意思是人若也活得像花卉盛開那般精彩，老天自然會對你有所安排。

生活中很多事情是強求不得的，其實不需用「追求」，而應該運用「吸引力法則」，反求諸己，努力地讓自己生命的花朵時時盛開，善因吸引善果，美麗的事物自然就會發生！

有如意現

早安即有如意現，晨天雲行若流水，
彷是財源滾滾來，吉兆嘉允得豐年！

二〇一七年十一月十五日

詩喻

本詩描寫友人珍藏多年的古董收藏，其中蘊含了無數歷史與文化的精華。

賞析

詩人在這首詩中詠嘆友人涂校長的古董收藏豐富，琳瑯滿目，每一件都是精雕細琢出來的作品，可謂鬼斧神工！詩人並體認到這些這些令人驚艷的珍貴寶物，是原創者一生的精華傑作，薈萃了歷史文化的精神，也是吉祥的象徵。知名的古董收藏家陳慧如也認為，古董可予人安定的力量，讓人的心情沉澱下來，其價值彷若伯樂與千里馬，讓她感到悸動，同時也是一種內心的成就。而詩人參觀過珍寶後，滿懷感佩的心情，眼看天上行雲如流水，正象徵著豐年財源滾滾的好吉兆。

叱吒風雲

揮灑自如氣魄忠，仰天長嘯一雄風，
力把青山盡擁抱，浩大正氣紫氣東！
退守滾滾江濤浪，踏步萬里長城壯，
漫長歲月如之意，叱吒風雲志飛揚！

二〇一七年十一月十五日

詩喻

本詩讚揚友人擁有氣度與智慧，成就不凡又能適時功成身退。

賞析

在中國歷史上急流勇退的例子並不多，以春秋戰國時越國謀臣范蠡及漢初三傑之一的張子房最為有名，這兩人足智多謀，更選擇在最佳時機適時「放手」，不僅保全自身，還留下了千古美名。

詩人以此詩歌詠友人從事業有成中急流勇退，令人佩服！全詩詞意波瀾壯闊、氣勢宏偉，「青山盡擁抱」、「滾滾江濤浪」；「萬里長城壯」、「風雲志飛揚」……諸語，將友人經營管理事業的雄心壯志表露無遺。筆鋒一轉，更佩服友人能在開創不凡格局後退居幕後，進退之間皆揮灑自如！

我知足

凹是象形字，恰似我寫照，
兩賢左右高，我在凹中找！
凹字難成凸，凸處自己無，
凹其不平處，凸顯我知足！

二〇一八年三月十二日

詩喻 本詩巧妙運用「凹」、「凸」兩字字形字義進行創意發想，發自內心的知足，勉人珍惜生活中的小確幸，常存感恩之心。

賞析 詩人這首詩以「凹」、「凸」的鮮明對比來表示自己很知足，自己處於「凹」的低處，兩位友人則高高地在左右，看來都是仰之彌堅、望之彌高，在兩位好友的光芒照耀下，也是一種幸福！《佛遺教經》嘗云：「知足之人，雖臥地上，猶為安樂；不知足者，雖處天堂，亦不稱意。不知足者，雖富而貧；知足之人，雖貧而富。」詩人本性謙虛知足，以此詩與友人互勉：知足常樂，即是最富貴之人！

青春草原

荷蘭風車湖泊中，茂密樹林相映紅，
青青草原好翠綠，白雲也見蔚藍空！

二〇一八年六月二十四日

詩喻

本詩以歐洲荷蘭為摹寫主題，描寫大自然景致的多彩豐富，與愉悅的心境相互映照。

賞析

本詩色彩濃度極強，以紅色、綠色、白色及藍色，構成一幅顏色的強烈視覺效果，再以風車、茂密樹林、青青草原及藍天白雲，鋪陳出整體風景如織的立體效果。

紅色的荷蘭風車聳立在湖泊中，與綠色蓊鬱的樹林相輝映，襯托出紅色風車的格外可愛！倘佯在這一望無際的青青草原上，可聞到綠草花香的芬芳、風兒的呢喃、鳥兒的鳴叫、蝴蝶的飛舞，風車的轉動，仰望蔚藍的天空下有朵朵白雲飄著……，眼前風景如詩如畫，宛如人間樂園的青青草原真教人流連忘返！

淡淡紅葉

淡淡紅葉片，連連脈絡詳，
條條分明狀，細細綫線展！

二〇一八年七月十五日

詩喻
大自然的美妙組合，就是那麼的賞心悅目而有章法！詩人細微地觀察花葉芋的葉片紋理而深受感動，描繪出大自然巧奪天工之美。

賞析
本詩以花葉芋圖像即興賦詩，歌詠自然造物的偉大，白描方式頗有唐陳子昂〈魏氏園林人賦一物得秋亭萱草〉詩：「細葉猶含綠，鮮花未吐紅。忘憂誰見賞，空此北堂中。」的味道。
全詩以「淡淡」、「連連」、「條條」、「細細」四疊字詞排比成韻，觀察入微，細膩地分析葉脈線條左右對稱，條條分明；葉片上綴飾著縱橫交錯的綠線，令人驚豔更令人讚嘆大自然果真是技術高超的彩繪師！

好花早

黃花挹芬芳，玉堂春中香，
綠葉外圍繞，愛在好花早！

二〇一八年七月十七日

詩喻

本詩以花開得好自有人欣賞，期勉吾輩當綻放得如花一樣自信，自然會得人賞識，吐露芬芳。

賞析

「玉堂春」為茜草科，別名「黃梔花」，屬常綠灌木。初開白色，後漸轉為黃花，花期四月到九月，盛開時會散發濃郁的香味，令人身心舒暢，是極受喜愛的造景、盆栽多用途香花植物。詩人寫黃花綠葉芬芳，頗得唐人張祜〈信州水亭〉：「南簷架短廊，沙路白茫茫。盡日不歸處，一庭梔子香。」吟詠旨趣。詠植物寫真而賦詩作，頗得古人「詩中有畫，畫中有詩」意境，堪稱一奇。

皆叫美花朵

奇花瑞鬚照，可知非平凡，
花徑耿直秀，樹果綠意悠！
水茄苳玉蕊，花腳棋盤穗，
自在組其名，皆美這花朵！

二〇一八年七月二十二日

詩喻

本詩以花朵各自綻放為發想，呈現花兒獨特而蘊含不同意境的美。

賞析

玉蕊花又名「水茄苳」，因果實像圍棋棋盤桌的桌腳，在臺灣因而稱為「穗花棋盤腳」。詩人在這首詩中重組其名，將花名前後字對調組合成「花腳棋盤穗」，更顯得這花卉的浪漫、美麗！

穗花棋盤腳構造特殊，花序造型優美，如長有表示智慧的瑞鬚一般，且具有香味，適合作為庭園樹與行道樹使用。玉蕊只在晚間盛開，從傍晚五、六點開始開花，當夜降下黑緞綢絲般的夜幕，就以璀燦奪目之姿盛開到隔天清晨後凋謝，有如轉瞬即逝的燦爛煙火，因此又被稱為「夏夜的煙火」。當花朵掛在樹梢上時宛如一隻隻紅白粉色的蝴蝶，又如雪花般掉落在地面上的殘花凋零景緻，在在讓人深感浪漫。

遠處望去

山前百花盛開來，太陽花紅璀璨在，
遠處望去一村落，悠閒藍天青山前！

二〇一八年八月十三日

詩喻

眼前望去一片百花盛開，悠閑藍天小村青山並在，這自然的一切是多麼美好的組合和安排啊！

賞析

本詩以藍天、百花、遠山、村落勾勒出一幅悠閒的自然景觀，令人心嚮往之。

在蔚藍的天空下，風和日麗、清風徐來，鄉間小路交錯，雞犬相聞，花香與泥土氣息撲鼻而來，予人心曠神怡的感受。向著遠處山際望去，有一村落坐落在青山前，山前百花盛開，其中橙黃亮麗的向日葵更是璀璨怒放，呈現出一片花海景觀。箇中意味，實與晉陶淵明〈桃花源記〉「忽逢桃花林，夾岸數百步，中無雜樹，芳草鮮美，落英繽紛」及〈桃花源詩〉：「桑竹垂餘蔭，菽稷隨時藝；春蠶收長絲，秋熟靡王稅。荒路曖交通，雞犬互鳴吠。」遙相呼應。

野鶴一群

正是白雲飄天邊，野鶴一群歇息間，
藍海相映好沈靜，唯或洋流洶湧中！

二〇一八年十一月九日

詩喻

本詩暗喻凡事不必汲汲營營追求太多，閑雲野鶴、無憂無慮是人生難得的境界。

賞析

「閑雲野鶴」一詞出自宋朝尤袤〈全唐詩話〉：「州亦難添，詩亦難改，然閑雲孤鶴，何天而不可飛。」意思是適合我治理的地方難覓，詩詞也難以修改，既然這樣，我不如做個如浮雲野鶴般的人，無論任何地方都可無拘無束地過活著。

本詩以閑雲野鶴暗喻雖不問世事，但有可能是因為海面下暗潮洶湧，「在朝為官」與「閑雲野鶴」恰好成了強烈對比，令人低嘆不已。

知音待

早曦晴空安，微笑自心坎，
我心中有您，您已知音待！

二〇一八年十一月二十九日

詩喻

晴空晨曦中身邊不乏知音，人生最快樂的事情，莫過於此種心情了！

賞析

這首「知音待」描寫詩人在晴空的晨曦中，甚或人生中的每一個永久的、永生的、永恆的日子，「我心中有您」，對彼此友情打從心坎裡發出真心的微笑。王勃〈杜少府之任蜀州〉：「海內存知己，天涯若比鄰。」、杜甫〈贈李十五丈別〉：「丈夫貴知己，歡罷念歸旋。」自古以來，高貴誠摯的友誼總是文士墨客筆下歌頌的最佳題材。

此詩寥寥數語，卻對友人如此衷心傾訴，可見友人在詩人心中為知音、為情人般的重要地位！

冬至落

雪將冰花冬至落，星月寒光遠近柔，
薄紗厚裘思齊安，夜深人靜簡醇久！

二〇一八年十二月二十三日

詩喻

本詩以冬至為時空背景，無論身處何地、經歷何種氣候，對親友的思念與祝福永遠無界線。

賞析

本詩係詩人透過對景物的描寫，寄寓對親人、友人的濃烈情感。

唐人楊凝式〈雪晴〉詩：「春來冰未泮，冬至雪初晴。為報方袍客，豐年瑞已成。」勾勒出冬至時節春雪初晴的活潑畫面。在月明星稀的寒光下，詩人深夜獨酌，即景生情，思念起親朋好友們，不論是居住在國內或海外；不管是穿著薄紗或厚裘，詩人皆遙祝對方一切平安順心如意！

左前方

綠葉盎然樣，滴點沁心涼，
若有似茫然，在其左前方！

二〇一九年三月十三日

詩喻

本詩以友人的攝影作品為發想，將焦點放在植物上，比喻生活中也應當找到聚焦、慎思的重心。

賞析

沁心涼的大小水珠落在綠意盎然的葉子上，中央的水珠穩穩立於葉子中央，周圍的水珠則茫然不知所措的樣子。本詩隱喻中心思想穩定就會澄淨明亮，如葉子中央的水珠般可以很清楚的看到周圍面向，而知有所因應，也就是採取中庸之道，不偏不倚，折中調和的處世態度。中心思想穩定，知道如何採取因應措施，就不致於驚慌失措而蒙受損害。

日落時

一早見花紫，紫氣東來至，
紅透半邊天，卻也日落時！

二〇一九年四月二十三日

詩喻 本詩描寫日落之前天空被渲染的美，傳遞出對黃昏景色的細膩觀察。

賞析 這首詩運用了寓情於景的手法，以觀察到盛開的紫花來借喻詠嘆人生盛衰。

早上見到盛開的花紫景色，聯想到紫氣東來，傳說春秋時期老子將過函谷關，關令尹喜登樓，見有紫氣從東而來，知道有聖人過關，是吉祥的徵兆。詩人接著感嘆花紫雖然紅透半邊天，但也會有凋落時，用來比喻人的事業或名聲達到鼎盛時會有走下坡的時候。最後，詩人又逆向思考，認為黃昏日落前卻能有紅透半邊天的短暫美好，在人生謝幕前總有過精彩燦爛的時刻。

善念在心

唯其謀定而後動，更當善念在心頭，
八月桂花撲鼻香，恰在風和日麗陽！

二〇一九年五月五日

詩喻 本詩藉物比興，認為做人處事的起心動念應以善為源頭，後續才當以利益與成效為考量。

賞析 本詩旨在勸人謀定而後動，謀劃準確周到而後才採取行動。詩人進一步認為，謀定而後動更應常保善念在心頭，古人說的好：「心存善念，天必佑之」，只要有利益眾生的心念和行為，老天爺必然會保佑他。詩人以桂花為例，因其花開不至茂碩，香氣淡雅有如「謙謙君子」，謙沖自牧不喜招搖，因而將心存善念寓情於桂花。

農曆八月時序已近仲秋，風和日麗，桂花多在此時盛開，陳香撲鼻，令人神清氣爽，尤其在中秋月圓時分，把酒賞桂，可比唐代丘丹〈和韋使君秋夜見寄〉詩：「露滴梧葉鳴，秋風桂花發。中有學仙侶，吹簫弄山月。」描繪的悠然意境。

遲來善緣

與君一見如故情，上月諸羅山酒醒，
更感相見或恨晚，善緣廣結是人生！
漫長歲月百年度，知音知己知心悟，
猶記高堂常言在，遲來善緣最多福！

二〇一九年十一月十六日

詩喻
本詩描寫緣份不可強求，遇見了就要好好珍惜。

賞析
詩人寫這首詩抒發與友人一見如故之情，感嘆兩人相見恨晚，且有點年紀了才得遇這位知己。詩人引用老母親生前常講的「人生在世善緣的人終將相逢」、「遲來的善緣遲來好」，《紅樓夢》也有這樣一段話：「萬兩黃金容易得，知心一個也難求。」在漫長的歲月裡，真正的知心好友難以尋求，因此詩人倍加珍惜這遲來的善緣，因為緣結億年前啊！

善為根

大海是其全世界，何來要使來天邊，
如此側隱在心田，起心動念善為根！

二〇一九年十二月六日

詩喻

善的起心是彌足珍貴的人的動念。本詩強調「善」的重要，善良的人會吸引善良的人來到身邊，發自內心的善舉會使「善」源源不絕的流動。

賞析

詩人認為惻隱之心與起心動念善為根，即是人間最美麗的風景。

《孟子．公孫丑上》云：「惻隱之心，仁之端也。」意即憐憫體恤之心是仁的發端，而無惻隱之心的人則是「非人也」。至於起心動念以善為根，《金剛經》云：「如來善護念諸菩薩。善付囑諸菩薩。」「善護念」意思是「善於好好地看護住我們的念頭，防止雜念、妄念的滋生」總而言之，守護我們自己的意念要以善（正念）為根，儘量減少自己不善的念頭，更多的善舉會使善源源不絕的流動，進而形成一個良性的正向循環！

至柔乃是至剛

早晨細雨落紛飛，欲拳行步至柔揮，
剛中就是柔中蕊，至柔恰得至剛威！

二〇一九年十二月三十日

詩喻

本詩將習拳心得運用到生活當中，點出剛柔並濟、柔弱勝剛強的哲理。

賞析

「鬆柔為本然，中正是身形，就在尾閭處，週天轉折時。」太極拳係結合易學的陰陽五行變化，及中醫經絡學及吐納術所形成的一種剛柔相濟的傳統拳術。打太極拳除可頤養性情、強身健體外，還可減輕壓力和放鬆身心靈，是一種有益身心靈的運動。行拳時要全身放鬆，尾閭中正，進而打通任督二脈，氣遍全身。由行拳心法可知，當習拳有得時，將可達到至柔即至剛、柔中寓剛的自在境界！

廣進財

金豬歇息金鼠起，起在春意正當期，
齊來芬芳融和中，鼠思無邪財廣進。

二〇二〇年一月三十日

詩喻

本詩作於鼠年正月，與好友分享保持善念與正向思考，祝福友人佳節吉祥如意。

賞析

詩人此詩作於鼠年正月初六開工吉日，祝福親友：「凡事起心動念善第一，營運策略運用妙第二，執行細部戰術巧第三，唯其鼠思無邪財廣進！」而這一切詩人認為都要基於「思無邪」，也就是佛法修行上所強調的「意樂」。所謂的「意樂」，梵語意譯為阿世耶、阿奢也，指人的意樂、意欲、志願。意念思慮要正念，不要有邪念，「思無邪」才能財源廣進！

雪中紅

春冬落下雪中紅，枝幹大小皆銜空，
這般美景入眼簾，恰似純潔內心衷！

二〇二〇年二月十二日

詩喻

本詩回應友人的攝影照與詩作，點出要如善良的人內心純潔，內外兼修。

賞析

友人林朝森總幹事捎來花景圖像與詩作：「尋覓千遍春芳蹤，桃櫻爭豔相映紅。美麗春光妙意境，寒雪紛飄入花叢。」

詩人起興詩作酬答友人，即景寫情，以櫻紅—雪白的強烈色彩對照，呈現出鮮明的視覺效果，予人印象深刻。詩人進一步認為內心的世界會呈現出對外在景物的看法，內心純潔才能看到美麗的外在景物。唯有內外兼修，心美物美，才能感受到外在環境及人物的友善和諧。

早曦正心

魚肚方白時，早曦正心出，
曙光萬丈輝，愛跟知心隨！

二〇二〇年二月二十一日

詩喻 早晨朝陽萬丈金光，象徵著一天美好的開始，更帶來了滿滿的正能量。

賞析 詩人認為早曦象徵著寬大的情懷，因此將本詩題名為「早曦正心」。

黎明清晨，當東方天色如魚肚白時，第一道日光氣勢萬千地劃破雲層，照耀著大地，萬物開始甦醒，新的一天開始了！《禮記．大學》云：「苟日新，日日新，又日新。」如果能夠一天新，就應保持天天新，新新還要更新；晨曦的純正本心，永遠為大地帶來正能量。

[illegible]
晨間詩作
問候早安
五言絕句
早曦正心
魚肚方白時
早曦正心出
曙光萬丈輝
愛跟知心隨
詩喻：
早曦帶來巨大的
正能量是寬大情
懷的所以是正心！
2020年2月 詩作者蘇文寬敬上

白花似

乍見白花似，白雪靄靄時，
這中好感動，心唯純潔思。

二〇二〇年三月十九日

詩喻

本詩描寫白花清新模樣，也蘊含獨特的魅力，而人也應如花朵般回歸純淨潔白的本心本性。

賞析

三月的杜鵑一簇簇盛開著，白色花瓣在黑夜中更顯出其晶瑩剔透。詩人敘寫花景與宋代王鎡〈白杜鵑〉詩：「雪玉層層映翠微，蜀王心事此花知。」有異曲同工之妙，「雪玉層層」、「白雪靄靄」同樣著力形容杜鵑模樣。而詩人對於「白」情有獨鍾，將白雲、白雪、白花等語入詩，於詩詞全集中俯拾皆是，因為白色最能觸動心中最真實的感受，所有的世俗雜念都應「思無邪」而歸於如白色般的純淨！

真心流露

天下詩兄若知音，跳躍音符心坎裡，
有種節奏高低調，真心流露當時情！

二〇二〇年四月十九日

詩喻

「伯牙撫琴，子期靜聽。」與好友無論是飲酒閒聊或深談交心，詩人冀望彼此都能真心流露、真誠對待。「一片赤誠浪漫中！」唐代詩人元孚〈送李四校書〉詩：「朱絲寫別鶴泠泠，詩滿紅箋月滿庭。莫學楚狂隳姓字，知音還有子期聽。」生動點出了詩詞文章期待有緣人相惜、共賞的懇切心情。

賞析

得遇知音，吐露心聲，多少恩怨甘苦蘊含在詩中！得遇知音，就如音符在心坎裡跳躍，節奏高低的曲調，旋律優美而動人！得遇知音，人生旅途上、娑婆世界中，唯有真情流露，才能浩然一曲直入九霄！

難忘慈母

事母至孝子女然，感念生養恩浩瀚，
喜悅節日好情深，難忘慈母眼中神！

二〇二〇年五月九日

詩喻

詩人於母親節以此詩感謝母親的養育之恩，並向天下偉大的母親們致敬。

賞析

每年一到母親節，都會令人想到唐代詩人孟郊的千古名作〈遊子吟〉：「慈母手中線，遊子身上衣。臨行密密縫，意恐遲遲歸。誰言寸草心，報得三春暉。」天下為人子女者都應感念母親的生育和養育之恩浩瀚，無論做什麼都難以報答。因此，行孝務必要及時，莫錯過了最佳時機，「樹欲靜而風不止，子欲養而親不待也。」這時將後悔莫及。

唯仙見

山上有位仙，清晨看凡間，
臺北城上空，唯仙見頂尖！

二〇二〇年五月二十二日

詩喻

本詩讚嘆友人能時時保持超然的態度，不被凡俗的事物干擾，擁有包容與善解人意的特質。

賞析

神仙意指道教中擁有各種法力的得道人物，即能力非凡、超脫塵世、長生不老的人物。詩人在〈唯仙見〉中極讚住在山上友人，清晨往臺北上空看，見到九霄雲外這無人能出其右的頂尖人物，比喻別有韻味。然世間果有仙人耶？且看文天祥〈改題萬安縣凝祥觀〉詩：「須信神仙元有國，不知蠻觸是何鄉。道人橫笛招歸鶴，坐到斜暉上壁璫。」及宋代張炎〈清平樂・過金桂軒墳園〉詞：「神仙只在蓬萊。不知白鶴飛來。乘興飄然歸去，嗔人踏破蒼苔。」或許真有神仙之人，只是吾輩凡人多為俗務所擾，往往不識其廬山真面目，也讓世間平添了更多浪漫想像色彩。

西邊天空

西邊天空萬丈輝，中有彩霞瑪瑙繪，
若欲騰雲駕霧起，可見地上兩金櫃！

二〇二〇年六月十五日

詩喻

本詩描寫天空在光與霧的影響下，呈現不同樣貌，傳達出大自然的奧妙，心境也美好了起來。

賞析

詩人描繪西邊天空出現萬丈光芒，其中繪有彩霞瑪瑙；若是騰雲駕霧飛到天空中，可看到地面金光閃閃、金碧輝煌的景象，大自然是多麼美麗多麼壯觀偉大！

本詩隱隱透露出佛家旨趣，詩中景象可與《佛說阿彌陀經》所描述的西方世界參看：「極樂國土有七寶池，八功德水，充滿其中。池底純以金沙布地，四邊階道，金、銀、琉璃、玻璃合成。上有樓閣，亦以金、銀、琉璃、玻璃、硨磲、赤珠、瑪瑙而嚴飾之。池中蓮華，大如車輪，青色青光，黃色黃光，赤色赤光，白色白光，微妙香潔。」

中秋皆平安

未來中秋皆平安，宏輝日月好燦爛，
府城雙十煙火秀，好似月下拋繡球！

二〇二〇年九月三十日

詩喻

中秋熱鬧氛圍延續到雙十節，煙火百花齊放，詩人藉此詩傳達佳節慶典下的詩意情懷。二〇二〇年臺南安平舉辦的國慶煙火緊接在中秋節後登場，詩人以這首「中秋皆平安」詩作，祝頌親友中秋、國慶日皆平安。

賞析

歷來描寫煙火詩句，當屬宋代辛棄疾〈青玉案〉詞最為家喻戶曉：「東風夜放花千樹。更吹落，星如雨。寶馬雕車香滿路。鳳簫聲動，玉壺光轉，一夜魚龍舞。」稼軒與詩人同樣極力摹寫佳節的歡樂氣氛。東風吹開了元宵夜的火樹銀花，花燈燦爛，就像千樹花開。而詩人筆下的國慶煙火堪比月下拋繡球般熱鬧，正象徵著國運昌隆，百姓安居樂業，氣象萬千！

輕啟詩情

文采飛來雅頌風，詩詞歌賦任境詠，
上或天文下地理，真情告白跨時空。
以文會友真心動，唯其觸起靈犀通，
日月星辰光輝在，輕啟詩情畫意懷。

二〇二〇年十月三日

詩喻

詩詞傳遞的意境時而正向溫暖，時而發人省思，隻字片語就讓作者與讀者獲得心有靈犀的感動。

賞析

本詩底蘊深厚，藉詩傳情，頗有李白之風。現代詩人余光中〈尋李白〉詩：「酒入豪腸，七分釀成了月光，餘下的三分嘯成劍氣，繡口一吐，就半個盛唐。」映襯出詩人的瀟灑豪邁！學識豐富的交融，隨心所欲、揮墨即詩的才情，更展現出超凡脫俗的文人氣息。

「以文會友真心動，唯其觸起靈犀通，日月星辰光輝在，輕啟詩情畫意懷。」最末四句，可知詩人重視友情，文思泉湧之下一氣呵成寫就此詩。

往右瞧

見到山鳥往右瞧，好若看透世間巧，
沈靜浩然立竿見，無畏風強雨驟驍！

二〇二〇年十月十四日

詩喻 本詩表達出修行深厚、沈著冷靜，風雨中凜然無畏的正面意象。

賞析 詩人在這首詩中將山鳥擬人化，彷彿看透了世間人情冷暖。〈孤本元明雜劇・漁樵閑話〉云：「所言者世道興衰，人情冷暖；所笑者附勢趨時，阿諛諂佞。」面對如此艱困世道，惟有修行深厚的人方能沈著冷靜，釋放出一股浩然正氣的正向能量，這是久歷磨練才能培養出來的人格特質，無畏風強雨驟，向披荊斬棘，克服各種困難而成就一番事業！

居高在

碧海藍天挺拔岩，厚實壯盛內涵現，
茂林青翠居高在，風平浪靜和風來！

二〇二〇年十一月二日

詩喻 本詩描寫東海岸之美，眼前美景只能用心體會無法言喻，而斷崖大海壯闊的對比下，更顯吾人的渺小。

賞析 此詩描寫臺灣著名清水斷崖美景，首句破題點出斷崖獨特地貌，描繪出一幅絢麗壯觀的景象，以虛實筆法，引出壯盛內涵聯想和感受。展現景色的壯闊後，接著把握景物特點展開真切生動的描寫；三、四兩句「茂林青翠居高在，風平浪靜和風來」雖無直接寫出顏色，卻讓讀者鮮明跳出綠與藍、高與低互相映襯的景色。

詩人觀此美景，愛國之心油然而生，產生「國富民強，才能富而好禮，也才能風平浪靜，才能底蘊強大，而長治久安！」的聯想，讓詩句中充滿了蓬勃向上的力量。

當醒初醉間

此刻情境或悅中，一切且尋感動走，兩情相悅才為伴，樂在兩岸浪漫看！
過往似也陌生對，靜中撲鼻梅香由，之下一時難再言，卻盼失落芬芳間！
欲言又止近事實，唯把清香告君知，真情流露無遺慮，言之令吾感傷足！
何年互迎歸來曲，難言之語在心底，早已情有所屬人，兩兆當醒初醉間！
佳人於我若神奇，朝曦來到旭陽聚，我心一如那晨光，一抹早霞自然離！

二〇二〇年十一月二日

詩喻

本詩抒情同時暗喻當前國際環境，欲消除人與人乃至於國與國之間隔閡，不是靠聰明的腦袋或複雜的手段，而是彼此真誠信任的那顆心。

賞析

近年來臺海兩岸關係緊繃，詩人心有所感，故用象徵的手法將嚴肅的海峽兩岸關係比擬成情侶相處，並以「兩情相悅」、「欲言又止」、「真情流露」、「情有所屬」……等形容男女感情用語巧妙地鋪陳成這首詩作，且頗多言外之意。

唐代李商隱名作〈錦瑟〉詩：「錦瑟無端五十弦，一弦一柱思華年。莊生曉夢迷蝴蝶，望帝春心托杜鵑。滄海月明珠有淚，藍田日暖玉生煙。此情可待成追憶？只是當時已惘然。」義山以琴瑟為題，追憶人生仕途不順，愛情遺憾，求仙失敗……種種當時往事之惘然，讓情詩呈現了多元解讀、多元欣賞的姿態，與本詩誠可謂古今契合。

民國蘇文寬 詩作

晴空萬里青山在

但使蒼生安居台

千里寶馬日一還

祈教選賊正義帶

一0八年十一月二十四日

敬祝您新年快樂
身體健康
財源滾滾
萬事如意！
年年安安！

七言絕句 惜緣知足、
賀春聯迎新年
隨手筆耕心中田、
萬般文章皆人間事、
惜緣知足最幸福！

蘇文寬詞作如下：
思中有心中繫
但憑鬆柔
忘其憂
耐之竟下筆對爾
進退之道
一心柔

詩作者
蘇文寬于天母
二〇二一年二月十一日
除夕夜

家佛小路吾兄嫂：

您好！

五言律詩學存

心中有靈犀、

存在自然裡、

唯其真摯情、

義來正氣發、

佛緣在吾心、

源自孩提時、

吾人常思君、

一本初心起、

萬家皆有佛

日日平安過

我弟喜悟心、

隨佛路步走；

祝 平安順利早日康復

弟喜悟文寬敬上

二〇二一年四月二十七日

早安，我
晨間詩作、

旭日斜照東方來
陽光滿滿西邊愛
紫氣五內浩然中
初衷綿綿細細懷

蘇文寬 2022年三月廿四日晨五時

編後語

二〇二一年年初，編者有幸結識雲林在地知名企業大山電線電纜公司的蘇文寬副董事長。幾番晤談後，了解蘇董不但是事業經營有成的企業家，更是浪漫的詩人兼書法家，他有意整理多年來詩詞書法創作與更多人分享。在工管系鄭博文教授的熱心引薦下，開啟了這段產學合作、以文會友的美好緣分。

產學案簽約後隨即分工執行，敝所王世豪教授負責整理書法作品，編者則負責詩詞部分。首先將詩人近十年來的創作，由紙本、手機簡訊、電子郵件、網路創作平台……等地彙整裒輯，依照創作日期逐一載錄，去其重覆、考訂文字；再透過多次面對面訪談，充分了解詩人創作的心路歷程。

據編輯團隊一年來的整理統計，自二〇〇九至二〇二〇年間蘇董的詩詞創作總數已逾一千二百首，可謂產量豐富。詩人自許為「要不得的詩的完美主義者」，故與編者自千餘首中先行精挑細選出三百餘首，進而爬羅剔抉、刮垢磨光，留下了最最經典的一百五十首。

這些詩作或藉描寫自然景物而抒發情感；或闡述修練太極拳的養身要法；或分享個人商場運籌帷幄與公司經營心法，完整而全面地呈現詩人多元的藝術風格。透過「詩喻」、「賞析」的短文解說，更能帶領讀者貼近詩情詩旨，領略字裡行間的跌宕起伏與喜怒哀樂。

產學合作案的進行及全書內容規劃，得到了蘇董及夫人吳喜玲女士的全力支持；本校育成中心楊雯婷專員協助產學案合約簽訂；黃媛郁同學、吳育瑄同學執行全案相關文獻蒐集整理及經費核銷；萬卷樓圖書公司張晏瑞總編輯、呂玉姍主編協助文集出版，在此向諸君致上最誠摯的謝意。

「最愛吟詩詞」、「詩詞歌賦任境詠」，這一年來編者披閱初稿，輒優游自在於文心寬情詩賦間，也期待您成為蘇白詞下一位聆賞知音！

國立雲林科技大學漢學應用研究所副教授

翁敏修

文化生活叢書　1300010

大筆如椽，文江詩海——蘇文寬詩詞作品集

作　　者　蘇文寬
編　　者　翁敏修、黃媛郁
　　　　　吳育瑄、余明村
責任編輯　呂玉姍
封面設計　連妙音、黃聖容

發 行 人　林慶彰
總 經 理　梁錦興
總 編 輯　張晏瑞
編 輯 所　萬卷樓圖書股份有限公司
　臺北市羅斯福路二段 41 號 6 樓之 3
　電話 (02)23216565
　傳真 (02)23218698

發　　行　萬卷樓圖書股份有限公司
　臺北市羅斯福路二段 41 號 6 樓之 3
　電話 (02)23216565
　傳真 (02)23218698
　電郵 SERVICE@WANJUAN.COM.TW
香港經銷　香港聯合書刊物流有限公司
　電話 (852)21502100
　傳真 (852)23560735

ISBN 978-986-478-789-0
2022 年 12 月初版
定價：新臺幣 3000 元（全套精裝二冊不分售）

如何購買本書：

1. 劃撥購書，請透過以下郵政劃撥帳號：
   帳號：15624015
   戶名：萬卷樓圖書股份有限公司
2. 轉帳購書，請透過以下帳戶
   合作金庫銀行　古亭分行
   戶名：萬卷樓圖書股份有限公司
   帳號：0877717092596
3. 網路購書，請透過萬卷樓網站
   網址　WWW.WANJUAN.COM.TW

大量購書，請直接聯繫我們，將有專人為您服務。客服：(02)23216565　分機 610

國家圖書館出版品預行編目資料

大筆如椽,文江詩海 : 蘇文寬詩詞作品集/蘇文寬著. -- 初版. -- 臺北市 : 萬卷樓圖書股份有限公司, 2022.12
　面 ;　公分. -- (文化生活叢書 ; 1300010)
ISBN 978-986-478-789-0(精裝)
ISBN 978-986-478-791-3 (全套：精裝)

863.51　　111019670